佐伯啓思

さらば、欲望

資本主義の隘路《あいろ》をどう脱出するか

GS
幻冬舎新書
654

さらば、欲望／目次

編集協力　大畑峰幸
DTP　美創

序章　「ロシア的価値」と侵略

ソ連解体で問われた「ロシア的なもの」

　もう10年ほど前になるが、大学院の授業後にひとりの留学生がやってきて、こういう。「日本はどうして英語教育の充実など英語ばかりに熱心なのですか。自国の言葉だけで話が通じるというのはすばらしいことではないですか。なぜ、日本は自分たちの言葉や文化をもっと大事にしないのですか」

　少し返事に窮した。まったくその通りだと思う。そこで、君はどこから来たのかと聞くと、ウクライナからだ、という。いかにウクライナがロシアの脅威にさらされ、自国を守るために苦しんでいるかを彼は熱心に語っていた。今回のロシアのウクライナ侵略のニュースを聞いて、その時の彼のかなり切迫した表情をふと思い出した。

　戦後、もっぱら米国の軍事的安全保障のもとで平和を満喫し、それだけではなく、世界秩序や国際政治に関する見方もほとんど米国流の合理的思考に従ってきた日本にあっては、ロシアの突然の侵略はほとんど理解を超えたものにしか映らない。あえて理解しようとすれば、プーチンは狂気に陥ったとか、病気だとかいうほかない。プーチンの精神状態はともかく、ウクライナ人からすれば、いつ何時、ロシア軍が攻め込んできても不思議ではなかったのであろう。

　ところで、今からちょうど１００年前の１９２２年、ドイツの文明史家であるシュペングラーによって『西洋の没落』第2巻が書かれた。この書物の中で、彼は、壮大な近代文明を生みだしたヨーロッパはいまや没落のさなかにある、という。ヨーロッパが生みだした近代文明の典型は、アメリカ文明とソ連社会主義であった。科学的合理性と技術に基づく経済発展を目指し、ヨーロッパ啓蒙《けいもう》の精神を受け継いで理想社会の実現を標榜《ひょうぼう》するこのふたつの文明によって、ヨーロッパの「文化」は没落するとシュペングラーはいう。

「文化」とは、ある特定の場所に根づき、時間をかけて歴史的に成育する民族の営みである。それは、アメリカ文明とソ連が掲げる普遍的な抽象的理想や歴史の最終的な目的といった観念とは相いれない。

改めて振り返ってみれば、ナチスによってズタズタにされたヨーロッパ文化の崩壊後に出現したのが、ともに近代的な人工的文明であるアメリカとソ連の対立であった。そしてソ連は91年には消滅し、残ったのはアメリカ文明である。

アメリカ文明は、ある独特の思考の形をとる。それは、歴史は、個人の諸権利、自由やデモクラシー、法の支配、市場競争などの普遍的価値の実現に向けて動いてゆく。またそうあるべきだ、という。さらに、その普遍的価値の実現こそは米国の使命だとする。

もちろん、現実の歴史はそれほど簡単ではない。米国のいう普遍的価値を共有しない国もあれば、敵対する国もある。その場合には、軍事力において勢力均衡をはかることで世界秩序を維持するというのが米国の方針であった。このような思想によって米国中心に成立したのが今日のグローバリズムである。

一方、もっと複雑なのはロシアである。冷戦での敗北により、人工的な社会主義国家ソ連は解体し、複数の主権国家へと分裂した。中心にあるのはロシアであるが、ロシアは「冷戦以降」のグローバルな世界秩序にあってはその周辺国に過ぎなくなる。もはや政治力、経済力で世界を動かす存在ではない。ロシアは社会主義の後継者ではないが、またアメリカや西ヨーロッパ（西欧）の価値の同調者でもない。ではロシアとはいったい何なのか。こういう疑問が当然でてくるであろう。

しかも、社会主義というイデオロギーが解体すれば、ロシアがずっと抱えていた民族的なアイデンティティの問題が出てくる。19世紀ロシアの、とりわけ知識人たちは、西欧的な知識や教養を身につけつつも、自らの内面に横たわる「ロシア的なもの」を模索し続けていた。私もそうだが、少し以前の日本の青年たちは、たいてい19世紀ロシアの偉大な作家や音楽家に魅了されていたものだが、そこに見られるのは、西欧的な語法や知識に従った小説や音楽の背後から立ち上ってくる、あの「ロシア的なもの」であった。大地と憂愁、神と人間の実存、それにロシア正教会風の神秘主義といった独特の空気である。

グローバリズムの失敗でむき出しになる「力」

ロシア革命によって社会主義のソ連が成立した後、ヨーロッパに散らばった旧ロシア帝国の亡命知識人たちは、ヨーロッパにも同化できず、自らのアイデンティティを模索する。その中から立ち現れてきたのが、ヨーロッパとアジアに挟まれ、両者と重なりつつもそのいずれでもない、いわゆる「ユーラシア主義」であった。ユーラシアとは、「ユーロ」と「アジア」の合成語であるが、この場合、ユーラシア主義者が特に懐疑心を募らせたのは、アジアよりもヨーロッパに対してであった。

そして、冷戦終結によるソ連崩壊後のロシアに、かつてのユーラシア主義ではないにせよ、新たなユーラシア主義的雰囲気が醸成されても不思議ではなかろう。この雰囲気は、ヨーロッパとアメリカが主張する西洋的・普遍主義的価値観とは一線を画そうとする。ソ連の解体とともに、改めて、ロシア、ベラルーシ、ウクライナこそが一体の「ロシアの民族」であり、「ロシア的価値」の中心である、という感覚が浮上する。

西洋とは一線を画するロシア的なものへのアイデンティティを求める心情からすれば、ウクライナのヨーロッパへの接近は一種の背信行為と見えよう。言い換えれば、米国中心の西洋的秩序の中にあっては、ロシアは決して一級国家にはなれないという思いがあり、NATO（北大西洋条約機構）の拡大は、西洋的秩序の具体的な脅威と映るのであろう。

むろんこれがロシア人の平均的心情だというわけではなかろう。またプーチンのウクライナ侵略は決して許容できるものではなく、国際法にも人道にも反する暴挙である。だが、この暴挙の背後には、西洋との内的な葛藤をはらみつつ、社会主義による近代化を遂行し、しかもそれに挫折したロシアやウクライナの苦い歴史的事情が存在するのである。

むしろ真の問題は、冷戦以降の世界をまとめるはずであった米国中心の西洋的価値や世界秩序構想の破綻《はたん》にこそある。リベラルなデモクラシー、グローバルな市場競争、個人の基本的権利、主権国家体制、ユートピア的志向をもった歴史観、米国の覇権による世界秩序。こうした近代的価値がうまく機能しないのである。

かくて、冷戦以降の「グローバルな世界秩序」や「西洋近代の思想」という表皮が剥がれ落ちてゆくと、その背後に隠れていたものがむき出しになってくる。中国は西洋的価値を共有せず、中華帝国の再来とばかりに膨張路線にはいる。ロシアはロシアで、ユーラシア大陸の中心部にあって、非西洋的なスラブ文明圏の再興を夢想する。こういう動きがでてきても不思議ではない。端的にいえば「近代主義」の二大典型である「社会主義」と「アメリカ型のグローバリズム」が失敗すると、その背後から、いわば隠れていた「精神的な風土」とでも呼びたくなるようなものが表出してくる。あの大地と民衆、ロシア正教、ツァーリズム（皇帝主義）などの残影を伴ったロシアの精神風土。それは、西洋の個人主義、リベラルなデモクラシーなどとは大きく違っている。

文明が衝突するとき、日本はどうするのか

トルストイは『戦争と平和』のなかで次のようなことを述べていた。歴史家は一般的な抽象的理念を考え出す。たとえば、自由、平等、啓蒙、進歩、文明などを想定し、それこそが人間の運動の目的だと考える。その図式にあてはめて、人間の活動を意味づけ評価する。だが、歴史にはそんな目的もないし、指導者であれ大衆であれ、何らかの自由な意思や理性をもって歴史を動かすわけではない。

ナポレオンは巨大な権力を手に入れて西ヨーロッパからロシアまで遠征した。そこにナポレオンの強固な意思や野望を見ようとする歴史家は彼を天才という。しかし、歴史を動かす人間の自由意思などというものはない。ただ、西ヨーロッパのある種の力の作用がロシアに押し寄せ、次には、冬将軍と神に祈るばかりのロシア総司令官の前でこの力は敗退し、皇帝アレクサンドル1世がそれをまた西へと押し戻しただけだ。

こういう動きの背後には、人間の意思や理性でははかることのできない何らかの作用が存在するのではないか、とトルストイは暗示している。それを帝政ロシアでは「神」といったが、今日われわれはそうはいわない。あるとすれば、西ヨーロッパとロシアの「精神的な風土」の

交錯というべきではなかろうか。

ロシアが、一方で西洋近代から圧倒的な影響と脅威にさらされつつも、半ばアジアに属して、独自の「ロシア的なもの」を模索したという歴史は、実は、日本とも無縁ではない。日本の近代も西洋の脅威にさらされつつも、同時にアジアの一員であるという意識を放棄できなかった。西洋近代の価値がうまく機能しない今日、日本もまたその「精神的な風土」を問われているのではなかろうか。にもかかわらず、戦後の日本は、そのような問いを発することもなく、米国流の歴史観、世界秩序観の信奉者であった。

今日、冷戦後のアメリカ流グローバリズムの表皮が剝がれつつあるなかで、われわれはむき出しの「力」が作動する世界へ移行しつつある。ユーラシア大陸の中央部と東西の端はかなり異なった文明を持っている。西洋、アジア、ユーラシアの大国を舞台にした文明の衝突が起きる時、日本は、そのはざまにあって、前線に置かれる。

その時、日本はどのような立場をとるのだろうか。状況次第では、日本も他国からの攻撃の可能性を排除することはできない。今回の事態は決して他人《ひと》事《ごと》ではない。果たして、われわれは、火炎瓶を作ってまで自衛しようとするウクライナの市民のように命がけで立ちあがるのであろうか。

（２０２２年３月26日）

第1章
なぜ誰もがこんなに生きにくいのか

GAFAのあまりに巨大な市場支配力

特定の企業がビッグデータを独占

ＧＡＦＡと総称される米国のＩＴ大手4社（グーグル、アップル、フェイスブック、アマゾン）が問題となっている。あまりに巨大な市場支配力をもちすぎたためである。実際には、課税逃れや顧客情報の管理に関する問題等が指摘され、何らかの規制の必要性が論議されている。

この問題の根は深く、今日の経済を考える上でも重要な論点をはらんでいる。ＩＴ系の情報産業がグローバル市場のなかで巨大な市場支配力をもつのは当然のことで、ひとつの理由は、情報・知識は、通常の工業製品とはまったく違うからだ。自動車やテレビなどは、無限に生産を拡大することはできない。生産の拡張もある段階までくれば、追加的な費用が急増するため、いずれ生産の臨界点に達する。

しかし、情報・知識の場合はまったく違っている。設備も工場も人員も比較的少なく済み、生産や販売に関する費用はきわめて小さく、市場が拡大すればするほど、追加的な費用が減少する。経済学でいう限界費用逓減《ていげん》といわれる現象である。この場合には、ほとんど無限に市場を拡大することができる。

簡単にいえば、最初にうまく市場に乗った企業は、ほとんど世界中の市場を手にすることが可能となる。当然、市場目当ての広告収入は増加するから、圧倒的な利益を手にすることができる。かくてグーグルの親会社は今日、約12兆円の売り上げをもち、アマゾンは20兆円近い売り上げを誇る。情報・知識産業においては、通常の市場競争原理は適切な結果をもたらさないのだ。

第二に、情報・知識は、本質的に公共的なものであるということだ。ネット上に公開された情報は誰もが閲覧できる。ツイッターなども公開される。ユーザーが使用したあらゆるデータもその場で消え去るのではなく、蓄積され保存される。つまりこれは本質的に公共性をもっているのだ。にもかかわらず、その顧客データは、特定の企業に独占され、ビッグデータとして私企業によって管理されることになる。ここに、今日の情報資本主義の危うさがある。

情報・知識は市場競争原理になじまない

今から40年ほど前、１９７０年代の後半であるが、製造業を中心とする先進国（特に米国）の資本主義はもはや限界状態にある、といわれていた。製造業中心の工業社会から、情報・知識中心の脱工業社会への移行が唱えられていた。『脱工業社会の到来』という書物をあらわした社会学者のダニエル・ベルは、来たるべき情報・知識社会とは、市場競争一辺倒の社会ではなく、公共的な計画によって人々の公共的な生活を向上させる社会だ、と唱えた。なぜなら、情報・知識は本質的に公共性をもつため、それは市場競争原理にはなじまないからである。私的利益の対象とみなすよりも、それらを人々の公共的な生活の質の向上のために使うべきだと主張したのである。

現実には80年代の新自由主義的な市場競争や90年代のＩＴ革命によって、情報・知識は市場で莫大《ばくだい》な利益を生む強力な新産業へと成長した。その結果、ＧＡＦＡと呼ばれる巨大ＩＴ企業が圧倒的な市場支配力をもつだけではなく、今日の社会のもっとも基本的なプラットフォームを形成することで、われわれの生活全般に対して大きな影響力をもつようになった。プラットフォームとはインフラストラクチャーである。

それは今日の経済のみならず、われわれの社会生活や文化の共通の基盤となっている。言い換えれば、きわめて重要な公共的役割を担う一種の「社会資本」となっている。かくてＧＡＦＡはわれわれの生活や文化の全般において圧倒的な力をもつことになった。

現在、われわれは経済成長率の低下に直面している。消費が伸びないので、政府も産業界もＩＴ産業へ強い期待をかけ、新たな製品開発が急務だと訴える。この新産業革命によって消費を拡張し経済成長を実現しようというのだ。

必要なのは公正・公共的なシステム

だが、われわれが今日必要としているのは、新手の消費財というよりも、むしろ、生活の質に関わるシステムではなかろうか。適切な医療体制の構築、人生の最期の迎え方を支えるシステム（介護や終末期医療など）、人間的な力全般に関わる教育システム、高度な専門的学術や基礎研究、家族や地域の健全な人間関係、特に地方における公共交通機関、住環境や職場環境、防災のシステム、伝統的な文化の継承や保護の仕組みといったものではなかろうか。これらはすべて公共的なシステムに関わる。そして、これらの公共的なシステムの構築こそは情報・知識の適切な使用と不可分であろう。

まさにかつてベルが述べた通りなのである。

今日、しばしば取りざたされるＡＩやロボットやあるいは生命科学などという新規の情報・知識も、われわれの生活の質に関わる公共分野でこそ、むしろ大きな効果を発揮するだろう。それは、市場化されれば、どれだけ利益があがり、どれだけ成長率を押し上げるか、という種類の問題ではない。

ベルが、かつて、情報・知識社会とは、市場競争の効率性よりも、社会的な公正や生活の質が焦点になるべき社会だと述べたことを改めて想起したいのだ。

もちろん、その後のＩＴの革命的展開はベルの予想をはるかに超えたものであった。しかし、それでも情報・知識のもつもっとも基本的な性格である公共性が失われたわけではない。長い目で見て、ベルの議論がまったく的外れだったとは私には今でも思えないのである。

（２０１９年２月１日）

成長戦略・親米政策への懐疑

安倍長期政権はなぜ生まれたか

この9月20日に自民党の総裁選があった（2018年）。安倍晋三首相の3選が実現し、戦後では佐藤栄作氏に次ぐ2番目の長期安定政権となった。対して、野党の方はまったく存在感を示せないでいるが、これはたいへんに皮肉な事態というほかない。

なぜなら、1990年代初頭に、小沢一郎氏が自民党を割って出て以来、政治改革、行政改革、経済構造改革等々、「改革」こそが野党の役割であると彼らは訴えてきた。そして、小選挙区制の導入、二大政党による政策論争、政治主導による官僚行政の制御、市場競争原理の広範な導入など、「改革論」の主張はかなりの程度において現実化した。そこで、結果はどうなったのか。

小選挙区制の導入は、わずかの票差で与野党が逆転する不安定な政治、もしくは、一方の政党が大勝するという独裁型の政治をもたらし、政策論争による二大政党政治どころではなくなった。政治主導による行政は、官僚たちの萎縮や忖度《そんたく》行政をもたらした。さらに市場中心主義へ向けた構造改革は、長期にわたるデフレ経済の一因となったのである。こうした帰結は実行する前からほぼわかっていたと私には思われるが、20年におよぶ「改革」の結果が現にそれなのである。もっぱら「改革」を旗印《はたじるし》に政権奪取を目指した野党は、自分で自分の首を絞めてしまったことになる。

その点では、自民党はもっとしたたかであった。実際には、96年の橋本政権あたりから自民党もりっぱな改革政党になり、小泉政権では、この内閣自体がもっとも急進的な改革を唱えるようになる。もはや野党の出番はなくなってしまう。小泉政権以降の自民党の迷走によって民主党政権が実現したものの、素人政治とも揶揄《やゆ》されたこの政党の政権運営の失敗が、結果として安倍長期政権を生み出したのだった。

社会構想の転換は先送り

安倍首相はつくづく不思議な人だと思う。第一次安倍内閣においては、「戦後レジームからの脱却」や「美しい国づくり」という大胆な保守的理念を大きく掲げていた。だがそれが現実を前に挫折するや、今回はこの保守色をいっさい封印し、焦点をもっぱらデフレからの脱却という経済の現実に置いた。その経済についても一方で構造改革を維持しつつも、他方ではかつて誰もやったことのない大胆な財政・金融政策を打ち出す。「改革」を維持しつつも、そのマイナス面がでてくれば、その都度、対応する。

また、小沢氏らの行政改革論者が唱えた政治主導を、これほど全面的に利用した首相はいない。改革論者は、内閣への権限の集中によって政治的リーダーシップを強化し、政治的意思決定の迅速化を進めるべきだと主張したが、まさに安倍首相はそれを実行した。だから「モリ・カケ問題」などを持ち出して、安倍は独裁的であるとか、官僚は忖度しているなどと批判しても、野党に説得力はない。どう見ても、野党の方が後手に回っているのである。

安倍首相の政策論の核心は次のようなものであろう。今日のこの地球的規模のグローバル市場競争の時代においては、国益をめぐる激しい国家間の軋轢《あつれき》が生じている。そのなかで日本が一定の立ち位置を保持するには、イノベーション（技術革新）による経済成長を達成して、日本の国際的な地位を高める必要がある。また、不安定な国際情勢に対処するための安全保障は主として日米関係の強化によって万全のものとする必要がある、と。

かくて、例を見ない金融緩和や成長戦略、トランプ大統領との親密な関係が演出された。そして、インバウンド効果によって訪日外国人が押し寄せ、東京オリンピック景気も手伝って未曽有の人手不足になっている。5年前に比すれば明らかにムードが変わった。外国人から見て日本は好感度トップクラスの国になっている。この「ムードを変えた」ことは安倍政権の大きな成果であろう。しかし、私にはまさにそのことが気になる。この楽観的ムードが気になる。本当に大事なことが先送りされているのではないか、という気がしてしまうのだ。

今日、われわれを取り巻いている基本的な状況を考えてみよう。第一に、日本では今後、恐るべき巨大災害が予想されている。実際には、２０１１年の東日本大震災によってわれわれは大きな社会構想の転換を迫られていたのではなかったろうか。第二に、人口減少・超高齢社会の到来であり、この社会は、もはや成長と競争を軸にした社会ではありえない。そして第三に、競争そのものがきわめて不安定な状況を作り出している。それは、経済的には投機資本によるグローバル市場の不安定化を意味し、政治的には市場や資源をめぐる国家間対立を意味する。このグローバル競争と不安定な世界に対して日本は長期的にどう対処するのか。

安倍首相の理念はひとつの方向であろう。しかし、この三つの条件を前提とするなら、私には、安倍首相の成長戦略やグローバル競争路線、そして親米政策も最善とは思えないのである。より長期的な観点からするより大きな社会構想が必要だと思う。だが、与党からも野党からも、またマスメディアからもこの種の議論がでてくる気配はない。もしも長期政権となるのなら、アベノミクスのその先まで視野に入れた社会構想を語る、絶好の、そして最後の機会であろう。

（２０１８年９月７日）

振りかざされる「正義」

『新潮45』の突然の休刊

新潮社の月刊誌『新潮45』２０１８年8月号に掲載された杉田水脈《みお》氏の、ＬＧＢＴへの行政支援に異議を唱える原稿が差別的だとの批判を受け、国会でも取り上げられた。これに対し、『新潮45』は10月号で、杉田擁護の原稿を数本掲載したが、一部に不適切な表現があるとされ、ツイッター等で同誌への激しい非難が生じた。そして新潮社は突然、同誌を休刊とした。事実上の廃刊である。

朝日新聞も、9月26日朝刊で、1面と社会面の両面を使って『新潮45』の休刊を報じている。この雑誌の休刊がそれほどの重大ニュースなのかと思うが、発端となった杉田氏の文章が「日本を不幸にする『朝日新聞』」と題する特集のひとつであった。何やら「朝日」対『新潮45』という構図である。

私はこの数年、『新潮45』に連載していたので、少し書きにくいのだが、個人的な立場を離れて若干の感想を記しておきたい。

不毛で情緒的な批判の応酬

まず、この数年、いわゆる論壇がいささか異常な状態になっているように思う。論壇のすべてとはいわないが、その目立つ部分が、論点を単純化し、多くの場合、左右の批判の応酬、それも、多分に情緒的な攻撃にも似た状態になり、そこにＳＮＳが加わって、ともかくも世論に働きかけるという状態になっている。そうしないと目立たないのであり、目立たなければ話題にならず、もっと端的にいえば「売れない」のだ。

評論家であれ著述家であれ、表現者とは、常に自らの表現の内容と形式について細心の注意を払うべきものであり、普通はそうするものだ。とりわけ、誰かを傷つける可能性のある文章を書く場合には、必要以上に神経を使うのが当然である。表現の自由をたてに何を書いてもよいというものではない。

その意味で、杉田氏の原稿に配慮が欠け、杉田擁護の論考の一部に問題があったのは事実だと思う。だがその後の、『新潮45』バッシングもまた異常であって、杉田氏を擁護する者は、それだけで差別主義者であるかのようにみなされるとすれば、これもまた問題であろう。

杉田氏の論考は評論としての周到さを欠いたものだったと私も思うが、ここには少なくとも、三つの重要な論点が含まれていた。ひとつは、問題となった「生産性」である。日本では、構造改革以降、この20年以上、あらゆる物事を生産性や成果主義のタームで論じてきたのである。私はこのこと自体が問題だと思うから杉田氏の論旨には賛同しないが、しかし、政策判断の基準として生産性が適切なのか、どこまでこの概念を拡張できるのか、という論点はある。

第二に、そもそも結婚や家族（家）とは何か、ということがある。法的な問題以前に、果たして結婚制度は必要なのか、結婚によって家族（家）を作る意味はどこにあるのか。こうした論点である。そして第三に、ＬＧＢＴは「個人の嗜好《しこう》」の問題なのか、それとも「社会的な制度や価値」の問題なのか、またそれをつなぐ論理はどうなるのか、ということだ。しかし、杉田氏への賛同も批判も、この種の基本的な問題へ向き合うことはなく、差別か否かが独り歩きした。これでは、不毛な批判の応酬になるほかない。

また、『新潮45』休刊の背景には、ＳＮＳにおける激しい批判と、文芸関係者による新潮社への抗議があったようだ。もともと作家や文芸評論家を主力執筆者にもっていた同社が、この圧力に屈したということになる。だがこれも両者ともに過剰反応ではなかろうか。人間は、１００％の善人でもなければ１００％の悪人でもない。裏も表もある。簡単に白黒つけられるものではない。白と黒の間には無数の灰色があり、その濃淡を仕分け、それを描くのが表現者の仕事である。そして、新潮社の雑誌の特質は、きれいごとではない、この人間の複雑な様相をいささかシニカルに描きだすところにあった。それがすべて崩れてしまった。

急激に不寛容になった社会

私は、人間社会の深いところに「正義」の観念はあると思うが、それを振りかざすことは嫌悪する。それはたちまち不寛容になり、それでは議論も何も成り立たなくなる。だから、人間の行為や人物を白黒に分けて、「白」でないものはすべて「黒」と断定して糾弾する、などということもやりたくはない。

それゆえ、近年の風潮であるいわゆるPC（ポリティカル・コレクトネス＝政治的正しさ）も、基本的には疑いの目をもってみたくなる。自分たちの主張を「正義」として、反対の立場を封印することは「コレクトネス」でも何でもない。

そして、リベラル派が唱えるPCに対するいらだちが、いわゆる保守派には根強くあった（それがアメリカでトランプ大統領を生み出した一因でもある）。しかしまた、その自称保守派も、このところ急激に不寛容になりつつある。論の結論だけで、敵か味方かに単純化されてしまう。SNSがそれを増長する。本当に大事なのは、議論の結論というより、その論じ方であろう。

もともとリベラルも保守も、その基底には「寛容」があったはずだ。異なった立場を認め、多様性を容認することは、どちらにも共通する原則である。この原則だけが、健全な論争を可能にしたのだ。

だが今日、社会から「寛容さ」が急激に失われている。それは論壇だけのことではないのだが、せめて紙媒体の論議の場だけでも「寛容さ」を保つ矜持《きょうじ》がなければ、我が国の知的文化は本当に崩壊するだろう。

（２０１８年10月５日）

民主主義こそが独裁者を生み出す

分断の結果としてのトランプ現象

２０１６年11月に米国でトランプが大統領に選出された。それから2年、連邦議会議員を選ぶ中間選挙ももうすぐ行われるが、概して大統領の所属政党は分が悪いというのが通例であり、共和党は苦戦を予想されている。

それにしてもトランプ大統領の誕生は「大事件」であった。それは、今日の米国を知る上でも、また今日の民主政治を論じる上でもそうである。トランプによって米国がふたつに分断されたという見方があるが、そうではない。すでに分断されていた結果がトランプを大統領に持ち上げた。また、トランプは民主主義の敵であり、民主政治を破壊するという見解があるが、これもそうではない。まさに今日の民主主義がトランプを大統領の地位に押し上げたのである。

最近、翻訳された『民主主義の死に方』という本がある。レビツキーとジブラットというハーバード大学の２人の政治学者の手になる書物で、彼らは、今日の米国の民主政治がまさにトランプという「独裁型」の指導者を生み出したと述べ、その背景を分析し、こう書いている。

１９６０年代の公民権運動以来、米国は多様な移民を受け入れてきた。非白人の人口比率は50年代には10％だったのが２０１４年には38％になり、44年までには人口の半分以上が非白人になるとみなされる。そしてこの移民のほとんどは民主党を支持した。一方、共和党の投票者は、90％ほどが白人である。つまり巨大な移民の流入という米国社会の大きな変化が、自らを「本来のアメリカ人」だと考える白人プロテスタント層に大きな危機感を生み出し、その結果、共和党と民主党の激しい対立が生み出された。当然ながら、「アメリカが消えてゆく」という危機感を濃厚にもつ共和党の方が、いっそう過激なアメリカ中心主義（白人中心主義）へと傾いてゆくことになった。

しばしば、トランプ現象の背景には、グローバル競争のなかで、経済的な苦境を強いられる「ラストベルト」の白人労働者層があり、トランプの反移民政策は、彼らの歓心を買うためのポピュリズム（大衆迎合）だといわれる。間違いではないものの、問題の根ははるかに深い。共和党からすれば、民主党は「アメリカの解体」をはかっているように映るのである。今日、両者の対立は、もはやリベラルと保守といったイデオロギー的なものではなく、人種、信仰、そして生活様式という生の根本が分断された結果なのである。

民主主義を支えるのは伝統的価値観

この著者たちによると、リベラルと保守という思想的な対立の時代には、共和党にもリベラルな政治家がおり、民主党にも保守的な考えがあった。その結果、両者の間にはまだしも共通の了解が成立しえたし、ともに、国の全体的な利益のために、過度な自己主張を自制し、相手を強くは断罪しないという「自己抑制」の不文律があった。その上に、両派の「均衡」が成立していた。「礼節」や「寛容」を含む「自己抑制」という目に見えない規範だけが、アメリカン・デモクラシーを支えていた、というのである。

しかし、さらに彼らはこう指摘する。この目に見えない規範が共有されていたのは、実は米国は白人中心の国だという人種の論理が暗黙裡《あんもくり》に共有されていたからだ、というのである。だから、60年代以降、人種差別撤廃運動が生じ、明らかに民主主義は進展した。ところが、その民主主義の進展こそが、共有された暗黙の規範を失墜させ、アメリカ社会の分断を導き、民主政治を破壊してしまっている、という。たいへんに深刻で逆説的な結論であるが、確かに事実というほかあるまい。

この著者たちが述べるように、民主主義なら政治はうまくゆく、という理由もなければ、米国の憲法や文化のなかに民主主義の崩壊から国民を守ってくれるものがある、などという理由もない。これはもちろん、米国だけではなく、日本も含めてどこでも同じことだ。

さらに、今日、何事においても事態を単純化しようとするメディアやSNSの影響力を前にして、民主主義は、すべてを敵か味方かに色分けし、対立者を過剰なまでに非難するという闘争的なものへと急激に変化している。対立する両派とも、我が方こそが「国民の意思を代表している」と主張し、「国民」を人質にすることによって自己正当化をはかる。言い換えれば、対立者は「国民の敵」だというのだ。

日本では、近年になって、人口減少化のなか、事実上の移民労働者数は急激に増加しているが、それが引き起こす社会の分断は米国や欧州ほど深刻ではない。しかも宗教的対立は存在しない。だが、米国や欧州の事例から学ぶべきことは、民主主義の進展こそが様々な問題を解決してくれるなどと期待してはならない、ということである。ましてや、ふたつの陣営の激しい対決や批判の応酬こそが民主主義だなどと考えるわけにはいかない。民主主義を支える価値は、民主主義からでてくるのではなく、むしろ、非民主的なものなのである。

社会の伝統的秩序のなかにある「自己抑制」「寛容」「思慮」「エリートのもつ責任感」といった価値観は民主主義とは関係ない。それは伝統的な見えない社会規範とでもいうべきものであり、それが失われたとき、民主主義こそが独裁者を生み出すという古代からの「法則」は、今日でもまた現実のものとなりうるのである。

（2018年11月2日）

グローバル・スタンダードとは違う「われわれの常識」

ゴーン事件の本質は倫理と道徳の問題

日産自動車会長のカルロス・ゴーン氏の突然の逮捕という衝撃的ニュースが流れてから2週間余り。様々な事実が明るみに出されており、ほとんど日産を私物化したといってもよいようなワンマンぶりも報じられている。報道を見る限り、急激な業績回復の陰で、日産はそこまで彼のやりたい放題を許していたのか、という暗澹《あんたん》たる気持ちになる。果たして、ゴーン氏は、相手が日産つまり日本の企業でなく、仮にアメリカやフランスの企業であれば同様のことをしたのだろうか、などと邪推もしてしまう。

　この逮捕の背景には、事実上ルノーの傘下に置かれてしまうという日産側の危機感もあったであろうし、日仏の国家間の関係もあろう。とはいえ、これはまずは、自身の報酬額の虚偽記載という金融商品取引法違反に関わる法的問題である。だから、あくまで「ゴーンの犯罪」という法的問題として論じるべきだ、という意見もでてくるし、報道の主要な関心もその方向で進展している。

しかし、法的対応はそれでよいとしても、より根本的な問題は、倫理的で道徳的なものだと私には思われる。そして、ゴーン氏自身が、なかばそれを告白している。なぜなら、報道によると、彼は、虚偽記載の理由を、あまりに多額の報酬を公表することが、社員を刺激するのではないかと危惧した、というようなことを述べたそうだからだ。

ゴーン氏の日産社長就任によって、日産の多くの工場が閉鎖され、2万人を超す従業員が解雇され、その上で日産は奇跡の業績回復を果たした。その功績によって彼は「コストカッター」の異名をとって日産の大功績者となった。「コストカッター」などといえば聞こえはよいが、へたをすればこれは「ヒューマンカッター（人間切り）」である。

2万人を超す従業員の犠牲の上に、5年で100億円の報酬を受け取るということは、法的問題はなくとも倫理的な問題ではないのだろうか。これが常識的な感覚であろう。もしも、虚偽記載の理由が社員の批判を恐れたというものであるなら、彼が恐れたのはこの常識である。

仮に、彼がこの常識を恐れずに報酬を正確に記載し、さほど日産を食い物にしなければ、それで問題はないのだろうか。クビになる従業員とクビにする経営者の間にこれほどの格差がつき、短期的成果を達成した無慈悲な「コストカッター」が、すっかり英雄扱いをされ、神格化されてしまうことは倫理的な問題ではないのだろうか。

多くの人は、何かおかしいと思うであろう。常識とはそういうものである。ところが、常識が何とささやこうが、この格差は今日の市場競争主義の帰結であり、そこに法的問題は何もない。年に数えるほどしか会社にやってこない最高経営責任者が年間20億円の報酬を得ようが、それが正当な契約に基づく限り、倫理的、道徳的に問うことも難しい。

自己責任や能力主義を受け入れるのか

ゴーン氏の問題を離れてもう少し一般化していえば、今日のグローバル市場は、短期間に企業業績を回復させ、株価を上昇させた経営者には巨額の報酬を与え、他方で、一般従業員の平均的賃金は下落させる。それがグローバルな競争原理であり、自己責任原則であり、成果主義、能力主義である、ということになった。法に違反しなければ問題はない。

だが、かつて自由な市場競争の重要性をいち早く発見して「経済学の父」などと呼ばれるアダム・スミスはまた『道徳感情論』の著者でもあって、人間社会を構成するものは、人々の相互に対する共感（同感）だと強く主張していた。いくら個人の自由や競争といっても、市場がうまく機能するためには、その背後に人々相互の共感がなければならないことをスミスは知っていた。市場競争といえども、社会のなかにある人々の信頼や相互的共感に支えられなければならないのである。

それから２６０年ほどたった。時代は違っている。だが、グローバルに拡大した市場競争を支える経済理論の基本は、スミス以来ほとんど変わっていない。ただ、社会を構成する道徳感情をすっかり捨て去っただけである。そして、市場理論が抽象化されて理論として高度化するにつれて、経済は、倫理や道徳からはすっかり切り離されてきた。そのことと、今日のあまりの格差や過剰なまでの短期的な成果主義の現状は無関係ではなかろう。

倫理観や道徳観念は国や地域によって少しずつ異なっている。一般論としていえば、米国では、自由競争、自己責任、法の尊重（逆にいえば法に触れなければよい）、能力主義、数値主義などが大きな価値をもって受け入れられる。しかし、日本ではそうではない。協調性やある程度の平等性、相互的な信頼性などが価値になる。

だが米国流の価値をグローバル・スタンダードとみなしたとき、グローバル競争は、日本の価値観や道徳観とは必ずしも合致しなくなる。しかしそれでよいではないか。もともとグローバル・スタンダードなどという確かなものはないのだ。あるのは、それぞれの国の社会に堆積《たいせき》された価値観、つまり「常識」であり、そこには明示はされないものの、緩やかな道徳観念がある。企業も市場経済も、この「われわれの常識」に基づいているはずなのである。

（２０１８年12月７日）

「改革狂」がもたらした失敗

非効率な英国経済に感じた底力

4月で平成も終わる。この30年を一言で特徴づけるのは無謀なことと承知しつつ、あえていえば、平成とは「改革狂の時代」だったといいたい。

元号が昭和から平成に替わった頃、私は在外研究で英国に滞在していた。日本経済はまだ「向かうところ敵なし」の状態で、英国経済の再生の実感はなく、サッチャー首相の評判はすこぶる悪かった。ちょうどその頃、社会主義国から西側への「脱出」が始まり、ベルリンの壁の崩壊へと続く。英国でも、社会主義の崩壊という歴史的大事件がもっぱらの関心事であった。日本人の研究者やビジネスマンたちが集うとよく日英比較論になった。ほとんどのビジネスマンは、日本経済の盤石さを強調し、この世界史の大混乱のなかで、経済は日本の一人勝ちになるといっていた。だが私はかなり違う感想をもっていた。日本経済がほとんど一人勝ちに見え、日本人がさして根拠のない自信過剰になる、そのことこそが日本を凋落《ちょうらく》させる、と思っていた。賛同してくれる者もいたが、あくまで少数派であった。

確かに、英国経済の非効率は生活の不便さからも十分に実感できた。しかし、その不便さを楽しむかのように、平穏な日常生活や、ささやかな社交の時間を守ろうというこの国の人の忍耐強い習慣や自信に、私は強い印象を受けていた。

一方、にわか仕込みの金満家となった日本人はといえば、ヨーロッパの町々で大挙してブランド店に押し寄せ、かの地の人々の失笑を買っていた。確かに英国の中産階級の若い者など、ほとんどブランド品に関心をもたず質素な生活をしていた。

しかし、私には、仲間が集まっても、ほとんど狭い専門研究の話か仕事の話しかしない日本の研究者やビジネスマンよりも、この世界史的な大変化の時代にあって、英国はどういう役割を果たすのか、といった事柄に、それなりの意見をもっている英国の「普通」の人々に、何かこの国の目には見えない底力のようなものを感じていたのである。

「改革」という名の米国覇権への追従

そして帰国した頃にバブルは崩壊し、経済が急激に失調するとともに日本人はまったく自信喪失状態になった。そうなると、われわれはすぐに「外国の識者」の助言を聞きたがる。また無責任に口をだしてくる、（大半が）米国の知識人がおり、それを重宝がる日本のメディアがある。何が日本をこうさせたのか、という悪者探しが始まり、「問題」が次々とでてくる。かくて、官僚システム、行政規制、公共事業、古い自民党、既得権益者、郵政事業、日本型経営、銀行などが次々とやり玉にあげられ、「改革」へとなだれ込んだ。やがて「改革なくして成長なし」といわれ、日本経済の低迷の理由はすべて改革の遅れにある、という言説が支配する。驚くべきことに30年たっても同じことが続いているのだ。まさしく「改革狂の時代」というほかないであろう。

日本の元号の変わり目が世界史の大転換と符合するなどということはめったに生じるものではないが、平成の幕開けは、世界的には冷戦の終結と重なっていた。つまり、平成とは、冷戦以降の世界状況への対応の時代でもあった。そして、改革論者は、冷戦以降の世界に適応するためには日本の大変革が不可欠だと唱えた。

冷戦以降の世界は何かといえば、巨大なグローバル市場の形成であり、世界的な民主主義の進展であり、ＩＴ革命と金融革命である。それはまた、冷戦以降を見据《みす》えた米国の新たな世界秩序形成に関わる覇権的戦略でもあった。だから日本の「改革」とは、冷戦以降の米国覇権への追従であり、グローバリズムへの適応だったということになる。

それで、その結果はどうなったのか。平成が終わろうというこの時点で見れば、これらはことごとく失敗に終わったというほかない。

情報・金融中心のグローバル化は、リーマン・ショックに見られるきわめて不安定な経済をもたらした。その帰結がトランプの保護主義である。また、グローバリズムは、激しい国家間競争を生み出した。その帰結が、中国の台頭と米中の「新たな冷戦」である。

自由と民主主義の普遍化という米国の戦略は、イスラム過激派との対立を生み、しかもその米国の民主主義がトランプを大統領にした。冷戦終結の産物であるEUは、今や危機的状況にある。ITからAIや生命科学へと進展した技術革新は、今日、無条件で人間を幸福にするとは思えない。むしろいかに歯止めをかけるかが問題になりつつある。

これが、冷戦以降の30年の世界の現実であろう。日本はといえば、政治改革が目指した二大政党制も小選挙区もマニフェストもほぼ失敗し、行政改革が官僚システムを立て直したとは思われず、経済構造改革にもかかわらず、この30年は経済停滞とデフレに陥ってきた。大学改革も教育改革もほとんど意味があったとは思われない。米国への追従とグローバリズムへの適応を目指す「改革」はおおよそ失敗したのである。

「改革狂」の平成時代はひとつの過渡期であった、と考えるべきであろう。「改革」が目指すべきものはわれわれ自身の価値観とともに生み出さなければならないのであり、平成の次の時代は、われわれの自前の国家像と社会イメージこそが問われる時代になるはずなのだ。

（2019年1月11日）

なぜ誰もがこんなに生きにくいのか

名状しがたい不安感、危機感、窮屈感

私がこのコラムを始めたのは平成27（2015）年の4月であった。もともと1、2年のつもりで引き受けたのだが、少し延びて4年たち、平成も終わりつつある。

仮に今日の思想や政治的立場を大きく「進歩派」と「保守派」に分ければ、私は自分自身を「保守」の側に位置付けてきた。そして、4年前に朝日新聞オピニオン面の編集部は、それを承知で、「むしろ積極的に保守的な立場で書いてもらいたい」と依頼をしてきた。「異論のススメ」というタイトルも、「進歩派」の代表紙である朝日に「保守的な構え」で書くという意味合いである。

それから4年ほどたって、もはや「保守」か「進歩」という対立がほとんど無効になってしまうような大きな波にわれわれはのみ込まれつつある。

この4年間で日本は明らかに活気を取り戻した。経済指標はよくなり、求人倍率がこれほど

高い国もない。大都市圏では地価は急激に上昇した。外交においても、日本の国際的な地位はそれなりに高まった。外国人は日本に押しかけてきて、好印象を語っている。スポーツでも、国際的に活躍できる選手や団体が次々とでてくる。テレビを見れば、グルメ情報番組が満載で、うまいスイーツ店やラーメン店が目白押しだ。連休ともなれば、大挙して海外へでかける。反対派が何と言おうと、これらが直接、間接に安倍政権の成果であることは間違いない。

　表面を見れば、日本はそれほどにぎやかで活気があるように見える。しかし、このにぎやかさの背後にしのびよっている何か得体の知れない不安を感じることも事実であろう。実際、若い人と話をしていると、案外と名状しがたい不安感や危機感をもっている人は多い。

　その正体を特定するのは容易ではないが、何かがうまくいっていない、という。ありあまるほどの自由を享受しながら、どうしようもなく窮屈で、常に心理的ストレスを感じている。安倍政権の評価とは別に、政治そのものが体をなしていないのではないか、という。かつてない豊かさを享受し、あらゆるめずらしいものが食卓に並ぶが、別にほしいものはない。仕事は見つかるが、はたらいてもやりがいがない、という。ネットで誰とでもつながれるが、本当に信頼の置ける仲間がいない。

　そして、実際、こころの不安を抱える者は多く、また家族や親子などの近親者間での犯罪が多発し、あおり運転などというものも出現する。表面のにぎやかさの背後で何か大事なものが壊れている、という印象を私もぬぐえない。

社会に渦巻く「目に見えない悪意」

この数年間で、市場競争はますますグローバルな規模へと拡張し、情報関係のイノベーションはさらに加速した。つまり、世界の国や人々の間の空間的な距離は縮まり、新しい技術開発はいっそう短時間になっている。その結果、一方では人々にグローバルな舞台が用意されると同時に、そのためにかつてない競争圧力にさらされ、イノベーションの加速は、これも人々に新たな可能性を開くと同時に、たえず時間との闘いを強いている。社会の流れについていけない者は多大なストレスを受けざるを得ないし、この変化と競争の真ん中にいる者も、もはや脱け出すことのできないメカニズムの自動運動のなかで疲れはててゆく。

しかもこの競争のメカニズムは、今日、多くの場合、成果を客観的な数値で測定するという数値主義や成果主義へとゆきつき、数値で示される成果がほとんどその人の能力の指標になるとなれば、かなりの人が心的なストレスを受けるのも当然であろう。そして少しでも道をはずす者がいると、すでに心的な不安を抱えている者が、「正義」をたてに激しい社会的な攻撃を加えてくる。テレビやSNSのようなメディアがこの「目に見えない悪意」を増幅する。だが、そもそも人の人格など表層に現れた成果や数値で測定できるものではないのだ。

グローバリズムとイノベーションが一気に加速し、人々の自由は拡大し、カネもモノもあふれるなかで、人々が生きにくさを感じるのも当然だろう。自然に寄りかかれた価値や道徳観の崩壊、家族や地域や信用できる仲間集団の衰退、数値化できない人格的なものや教養的なものへの信頼の失墜、言論の自由の真っただ中でのＰＣ（ポリティカル・コレクトネス＝政治的正しさ）的正義による言論圧迫、それに対抗するかのような言いたい放題のＳＮＳ。「バベルの塔」に似せていえば、神が人々に自由（好きな言葉をしゃべる自由）を与えた結果、言葉はもはや通じず（共通の規律や規範がなくなり）、バベルの塔はそのまま放置された、とでもいいたくなる。

そして、あげくのはてが、もはや真実などという基準が通用しないフェイクの横行である。そうなれば逆にまた、客観的な数値やエビデンスやＰＣ的正義がことさらにもち出される。それはともに、政治に対する、他の国家や民族に対する、組織に対する、仲間に対する信頼を失墜させて、社会のなかに渦巻く不信感を増幅させるだろう。それが今日の姿だとすれば、「進歩派」であれ、「保守派」であれ、問題にすべきはこの種の「現代文明の状況」そのものではなかろうか。

（２０１９年３月１日）

ただ生きること・よく生きること

積極的安楽死への共感

先日、「ＮＨＫスペシャル」で、ある日本人女性が安楽死をとげるというドキュメントを放映しており、大きな反響を呼んだようだ。私も見ていたが、かなり衝撃的であった。安楽死には基本的にふたつある。ひとつは消極的安楽死で、これは終末期にある患者に対して積極的な延命治療をしない、というもの。もうひとつは積極的安楽死で、こちらは、患者の意思が明確である、苦痛が耐えがたい、回復の見込みがない、代替治療がない、といったいくつかの条件のもとで、医療従事者が患者に対して積極的な死を与える、というものである。ここで問題なのは積極的安楽死であり、ＮＨＫの番組もこちらのケースである。

日本では積極的安楽死は法的に認められていない。世界的に見た場合、これを法的に容認しているのは、スイス、オランダ、アメリカのいくつかの州などわずかである。ただ、潮流としては、少しずつ容認の方向へ動いていているようである。スイスには「ライフサークル」という自殺幇助《ほうじょ》団体があり、この団体を通して、医師の指示と幇助のもと、致死量の薬品によって自殺することができる。広い意味で積極的安楽死といってよい。この日本人女性も、スイスでの事実上の積極的安楽死を選択した。

　この女性は、多系統萎縮症という難病を宣告され、徐々に身体機能を失ってゆく。回復の見込みはない。最後の選択は、まだしも自分の意思が明確に伝達でき、スイスまで移動できるだけの身体機能が残っている間に安楽死することであった。そうはいっても、家族である2人の姉は、簡単には受け入れられない。何度も話し合った結果、最終的に妹の意思を尊重し、スイスで妹の死の現場に立ち会う。その一部始終をＮＨＫは記録していた。この経緯については、宮下洋一『安楽死を遂げた日本人』でも詳しく書かれている。

　点滴によって致死量の薬品を自らの意思で投与し、ほんの数分で眠るように死んでいったこの女性と、彼女を見守る2人の姉の映像を見ていて、私は、言葉は悪いが、何か妙に崇高な感動を覚えた。この場合、崇高というのは、すばらしいとか気高いという意味とは少し違う。とても涙なしに見られる映像ではない。だが、ここには、葛藤のあげくに「死」という運命をついに受け入れ、しかもそれを安楽死において実行するという決断にたどりついた姉妹たちの無念が、ある静謐《せいひつ》な厳粛さとともに昇華されてゆくように感じられたからである。

　私は、安楽死にはかねて肯定的であった。消極的安楽死は当然、積極的安楽死も、一定の条件のもとで容認されるべきだと思っていた。だが、同時にそれを「尊厳死」と呼ぶことには抵抗があった。なぜなら、「死」とは、人間の、いや生物であり生命体であるものの根源的な事実であって、死に方に尊厳も何もないだろう、と思っていたからである。こと切れれば死ぬだけである。イヌやネコに尊厳死も何もないであろう。死という意味では人間も同じだ、と思っていた。

「死」は経験できないが「死に方」は経験できる

ではどうして積極的安楽死に対して肯定的だったのかといわれれば、理由は簡単である。この先、死を待つだけの生が耐えがたい苦痛に満ちたものでしかなければ、できるだけ早くその苦痛から逃れたいからである。これは多分に利己的な動機であるが、おそらく多くの人が感じていることでもあろう。今でも、死というものについての私の基本的な了解はそのようなものである。生命体にとって死は当然の事実であって、あまりの苦痛に耐えがたければ自死も安楽死もひとつの選択である、と。

しかしまた、この映像を見ていて感じたこともある。よくわれわれは「死」を経験することはできない、という。死んでしまったら意識も何もなくなるからである。経験はあくまで生の側の問題であって、死は経験ではない。それはその通りであろう。だがまた、死に方、あるいは死の選び取り方は、ひとつの、いや決定的な経験である。死は生ではないが、死に至る時間は生にほかならない。とすれば、死ぬことは、その最後までいかに生きるかということなのではないか。

先日、ドイツの哲学者ハイデガーの書いたものを読んでいたら、次のような文章にであった。

人間が「死すべき者」と呼ばれるのは、人間が死ぬことができるからである。死ぬのは人間だけである。動物はただ生を終えるだけである。

なるほど、と思った。動物は死なないのである。ただただ自然に生命が消えるだけだ。「死」とはひとつの意識であり、意図でもある。人間は、死を意識し、死に方を経験することができる。

西洋のキリスト教文化のもとでは、人間は「死すべき者」といわれる。これは死なない「神」と対比されたものであるが、人間を死すべき者と定義したところに西洋文化のひとつの人間理解があるといってもよいだろう。もしも人間が永遠に生き続ければ、人間は「生」について考えることもないだろう。また動物のように自然にこと切れるだけなら、これもまた生について考える必要もなかろう。ただただ獲物を求めて生きるだけのことである。

人間だけが、「死すべき者」であるがゆえに「生」を考える。どうやって生を充実させればよいか、と考える。そこから、「よき生」という考えもでてくる。古代のギリシャでは、ただ生きるのではなくよく生きることが問題だ、とされた。キリスト教文化のもとでも同じである。

どのような生き方がよい生であるか、が問われた。そして、もしも「死に方」も「生」に属するのなら、どのような死に方がよい死に方か、という論議も可能となる。「安楽死」はそのもととなったギリシャ語では「エウタナーシア」というようだが、これは「よい死」という意味であった。

「尊厳死」という言い方は私にはまだ違和感があるが、いわんとすることはわかる。人間は死を経験することはできないが、「死に方」は経験する。それはまだ「生」なのである。そして、「尊厳」とは英語で「ディグニティ」であり、それはもともとラテン語の「ディグニタス」からきており、「……に値する」という意味であった。私なりに解釈すれば、「よき生」に値するような生を送ることが「ディグニティ」の基本であろう。

何をよき生と考えるかは時代により文化によっても違うだろう。人によっても違うだろう。だが、この言葉の響きには、ただ生きているのではなく、何らかの意味で生きるに値するような生き方をする、つまり「よい生」を追求し、実現する、という意味合いが含まれている。

生きることは無条件に尊重されるべきなのか

これは大事なことだと思う。なぜなら、近代社会では、「生きるに値するような生き方」つまり「よき生」は問わずに、まずは生きることが至上の価値とされたからである。万人の生命の尊重が近代社会の最高の価値となり、そのもとで20世紀には経済成長と福祉が求められ、21世紀になると、さらに医療技術と生命科学の進歩とともに、あらゆる病気を克服して寿命を可能な限りに延ばすことが人類の目標となった。人生100歳の時代かどうかはわからないが、健康寿命をはるかに超えて延命が可能なことは間違いないだろう。

　だが、それと対比すれば「死に方」の方はほとんど論議の対象にもならない。私は、別に寿命の延長が悪いとは思わないが、それでも、「生」へ向けて巨額の予算をつぎ込んだ国をあげての関心と、「死」への、冷ややかというべき社会の無関心のアンバランスが気になる。

　だが、それも理由はないわけではなく、安楽死の問題を俎上《そじょう》にのせた途端に、われわれはあるどうしようもない壁にぶつかってしまうからだ。つまり、無条件の生命尊重という近代社会の価値との衝突である。具体的にいえば、殺人罪や殺人幇助の罪に問われかねない。いや、法的問題はともかく、近代社会の基本的な価値と衝突するのである。

　これに対して、安楽死推進派は、個人の意思決定の自由や幸福追求の自由をいう。だがこれもまた近代的権利であって、これは決定的な言い分にはならない。要するに、近代社会の価値観とは、生命尊重にせよ、個人の自由意思や幸福追求にせよ、もともと「生」に関わる価値なのである。近代的な権利の問題としては想定外であった「死」に直面したとき、生命への権利と、自己決定や幸福追求の権利は衝突することになる。近代的な権利や法の枠組みでは容易に解決できないのだ。

ではどうすればよいのか。私に妙案や対案があるわけではないのだが、まずは、先にも述べたきわめて常識的な地点にまで戻りたい。「死」は近代だけの問題ではない。「死」は人間の基本的な条件であって、「死」を前提とするからこそ、われわれは「生」を問いかける。どのような「生」が満足のゆくものであり、意義のあるものかと問う。そのとき、「よき生」の延長線上に「よい死」がでてきても不思議ではない。そして、そこにひとつの社会の死生観があった。死生観は、その国や文化や宗教的精神によってかなり違ってくるにせよ、かつては、それぞれの社会がそれなりの死生観をもっていた。

少し前には、「死に方」は多様であった。日本の姥捨《うばすて》のようなやり方は少し極端だとしても、消極的安楽死はかなり存在したであろう。いわばケース・バイ・ケースなのである。人の生も死も多様であり、人によって違っている。それを、漠然と、大きな死生観や霊魂観という広義の宗教意識が支えていた。近代社会は、すべてを合理的に、法的に整理しなければ気が済まない。あいまいさを排除し、一律に管理しようとするが、それでは問題は解決しない。多様な死に方を認めるほかなかろう。われわれは、近代社会の極限で、死というもっとも人間的で根本的な問題に改めて突き当たってしまったのである。

（２０１９年７月６日）

第2章 かくも脆弱だった現代文明

壮大な「ごっこ」と化した世界

「革命ごっこ」「ナショナリズムごっこ」

戦後の「保守派」を代表する評論家、江藤淳氏の自死が１９９９年、ちょうど20年前になる。平山周吉氏による伝記が最近刊行され、また、先ごろ逝去された評論家の加藤典洋氏の仕事も江藤淳氏から強い刺激を受けたものであった。

江藤氏の評論の軸は、ほとんど米国の属国といってよい戦後日本の主体性の欠如を明るみに出す点にあった。その起点になるのはＧＨＱ（連合国軍総司令部）による占領政策であり、占領下にあって「押し付けられた」戦後憲法とＧＨＱによる言論検閲であった。それ以降、日本人は米製憲法を抱き、米国からの要求をほとんど受け入れ、米国流の価値や言説を積極的に受容してきた。これでは、国家としての日本の自立は達成されない、というのである。

その江藤氏の数ある評論のなかでもよく知られているのが、70年に発表された「『ごっこ』の世界が終ったとき」である。世界中で米国のベトナム戦争への批判が噴出し、日本でも全共闘運動なる反政府運動が全盛の時代であり、三島由紀夫の自決の少し前である。また少し後には、佐藤栄作政権による沖縄返還が実現する。世情騒然たる時代であった。江藤氏はこの評論のなかでおおよそ次のようなことを論じていた。

日本では、全共闘による暴力的な反政府運動があり、また他方では三島由紀夫が結成した「楯の会」による自主防衛や、新たなナショナリズムの動きに揺れていた。しかし、このどれもが「革命ごっこ」「自主防衛ごっこ」「ナショナリズムごっこ」に過ぎない。「ごっこ」とは真の現実に直面しない虚構のなかの遊びである。鬼ごっこは虚構の鬼をめぐる遊戯であって、本物の鬼がでてくれば成り立たない。

日本で政治運動や思想運動が「ごっこ」にしかならないのは、戦後日本がもっぱら米軍とその核の傘に依存して国家の安定や平和を維持してきたからであり、その決定的な現実に右も左も目をつむっているからだ。反戦平和を訴える左翼運動は、実際には日米安保体制によって平和が維持されているという現実を見ようとせず、右派のナショナリズムも、日米同盟体制を真に問題としようとしない。これらの運動や思想が本当のリアリティをもちえないのは、すべて、対米従属という戦後日本の基本構造を真に問わないからである。

戦後日本がアイデンティティと引き換えにしたもの

しかし、今や情勢は変化しつつある。米国は経済的に疲弊し、アジアからの軍事力の撤退を検討しており、日米関係の再編、再構築の可能性もでてきた。戦後日本の課題は、一方では、平和と繁栄の維持にあるが、他方では、対米従属を脱して、いわば失われたアイデンティティを取り戻す点にあった。

ところが、戦後日本は、米国への従属国家としてアイデンティティを失うことで平和と繁栄（江藤氏は「生存の維持」といっている）を手にしてきた。

しかし、と江藤氏はいう。遅かれ早かれ、日米関係は変化せざるを得ない。日本は米国の弱体化した経済を支える代わりに米軍基地の返還を求め、自主防衛の方向に向かうだろう。そのときに初めて、日本は自立した国家として「世界」というリアリティに直面するだろう。そして日本人は改めて、「あの戦争」における敗戦の意味と、３００万におよぶ死者たちを真に想起することになるだろう。

われわれが現在ここにいる自分たちのことだけを考えるのではなく、死者たちの霊を共同体のものとして受け止めたときに初めて、われわれは自らに自信をもつことができるようになるだろう。

江藤氏がこう主張してからほぼ50年が過ぎようとしている。果たして江藤氏の見通しはどうなったのだろうか。この半世紀で世界情勢も国内の雰囲気も大きく変わった。しかし、日米関係の強化だけは揺るがない。

80年代にはレーガン大統領と中曽根首相の親密な日米関係が築かれ、90年代には米国主導のグローバリズムに日本は巻き込まれ、２０００年代になると中国の台頭と北朝鮮の脅威に対していっそうの日米同盟の強化が唱えられる。近年では、安倍首相とトランプ大統領はきわめて強い信頼関係を構築したと宣伝されていた。

かくて、国内外の状況は大きく変化したものの、江藤氏が述べた日本の自主独立あるいは日本人のアイデンティティの回復へ向かっているとはとても思われない。ここでいうアイデンティティとは福澤諭吉のいうところの「一身独立して一国独立す」の精神、あるいは「自主独立の気風」といったぐらいの意味である。

現実に直面していない今日の「現実主義」

確かにある意味では、江藤氏が述べた「ごっこの世界」は終わったようにも見える。左翼学生による「革命ごっこ」はすでに70年代半ばには無残な帰結を迎えた。その後、学生も大学もすっかり穏やかになり「体制」のなかで優等生になろうと競争している。さらに、今日、左翼の平和主義や護憲主義はもはや大きな力をもちえない。それは、まさに戦後日本の平和が米国の軍事力と核兵器を前提にしていたからであり、米国によって守られた平和のさなかで平和主義を唱えても欺瞞《ぎまん》でしかないであろう。

また、三島由紀夫の「自主防衛ごっこ」も、思想的な影響は別として、現実には何らの効果ももたらさなかった。「ナショナリズムごっこ」も、今日、反中国、反韓国、反左翼に終始して、真の意味での独立の精神や日本の自立を問う論調はほとんど見られない。

となれば、一見したところ、「ごっこの世界」の化けの皮も剝がれつつある、ともいいたくなるだろう。すべてが現実主義の一点に向かって収斂《しゅうれん》しているのだ。「現実」にグローバリズムの世界だから日本もグローバル競争をしなければならない。「現実」に中国が大国化し北朝鮮の脅威があるから日本は米国に守ってもらわなければならない。「現実」に日本は平和なのだから今の憲法でいいではないか。また逆に「現実」に自衛隊は存在するのだからそれを憲法に書き込めばいいじゃないか、等々。「現実」こそがすべてといった具合になっている。

確かに江藤氏は「ごっこの世界」は「世界」という「現実」に直面していない、それを直視しなければならない、といった。では、この「現実主義」は、本当の現実（リアリティ）に直面しているのだろうか。

とてもそうは思えない。なぜだろうか。まず、今日の「世界の現実」そのものが、どこか「ごっこ」の様相を帯びてきているからである。グローバル競争の世界は、何の根拠もなく自由競争は利益と繁栄をもたらすという虚構の上にいわば市場競争ごっこを始めた。

中国や北朝鮮の脅威から米国は日本を守るだろうという、これまた特段の根拠もない虚構によって日米の特別な関係が唱えられる。これもいわば同盟ごっこの様相を呈する。実際、トランプ大統領は先日、日米安保条約の破棄にまで言及した。もちろんトランプ流の思いつきではあろうが、それにしても、日本の政治家（特に野党）もマスメディアもほとんどこの問題を論じようともしないのはいったいどういうことであろうか。

今こそ「あの死者たち」を想起するとき

憲法に関していえば、護憲派も改憲派も、そもそもの根本的な問題をいっさい問おうとはしない。それは、占領下にあって主権をもたない国家が憲法を制定しうるのか、また憲法とは何か、主権者とは何か、国家の防衛と憲法と主権者（国民）の関係は、といった根本的な問題である。それを問わずして護憲も改憲もない。真に憲法に直面することを回避した護憲論も改憲論も、いわば護憲・改憲ごっこといわざるを得ないだろう。

江藤氏は、別の文章でこう書いている。日本は、米国のこしらえ上げた「鏡張りの部屋」に置かれているために、世界というリアリティに直面していない。われわれは鏡に映された自分たちの姿について、右だ左だ、護憲だ改憲だ、と相手をののしりあっているが、この部屋は外からは素通しのガラスでできていて、米国からはそのなかがよく見えている、というのである。そしてそのうちに、われわれは、米国による監視を内面化して「自己検閲」をするようになってしまった、これが、戦後日本の言論空間である、という。

戦後70年以上もたてば、さすがに鏡も曇ってきたし、ガラスもひび割れてきたようである。ガラスの部屋も万全ではなくなってきた。そこで日本は日本で世界という現実に乗り出そうとしている。だが、ガラスを取っ払えば、世界というリアリティに直面する、というわけでもない。世界そのものがこれまた巨大な「ごっこ」の様相を呈しているからである。

日本を検閲していたはずの米国の政治も、トランプ大統領の登場に見られるように、ほとんど思いつきと人気獲得のショウ化している。私には、これもまた壮大な「大統領ごっこ」のように見える。トランプ大統領と金正恩委員長のやり取りも、また、文政権の韓国もどこか「政治ごっこ」に見える。G20やサミットなども「外交ごっこ」である。

何か真のリアリティが感じられないのだ。どうやら今日、世界へと顔を向ければ、現実（リアリティ）に直面するというものでもない。世界がまた壮大な「ごっこ」に傾いているのである。なぜなら、今日の世界は、それを導く確かな価値も方向感覚も見失い、また、人々の生存への必死のあがきや、あるいは、個人や国の尊厳へ向けた命がけの戦いともほとんど無縁になっているからである。しかしまた、この「ごっこ」が、もしかすれば、とてつもない「鬼」を現出させるかもしれないのだ。

結局、リアリティとは、そこにある現実そのものではない。それは、われわれが常にそこへ立ち戻り、方向を指し示してくれる価値や経験と深く関わる。

近代日本にとっての最大の経験はあの戦争とその死者たちであった。江藤氏は「ごっこ」が終われればわれわれはあの死者たちと本当に向き合うといったが、どうやら逆に、あの死者たちをたえず想起することによって、せめて「ごっこ」を自覚することぐらいはできるのであろう。

（2019年10月2日）

国語力を失った社会の末路

西田幾多郎を読む高校生

関西のある研究機関が、毎年2回、関西圏の高校生を集めたセミナーを主催している。講師は理系、文系の大学教師で、20人ほどの高校生たちと2泊3日の合宿を行い、講義をし、語り合ったりする。私も2回ほど講師を務めたが、高校生たちの意欲や能力やさらには自己表現力にはしばしば驚かされた。西田幾多郎の『善の研究』なども取り上げたが、高校生たちはこの難解な本をともかくも読んできて、何やかやと議論している。しかも、将来についての展望をかなり明確にもっている者も結構いる。日本の大学はつまらないから米英の大学へ行きたいなどという者もいる。学力の低下や若者の内向き志向が指摘されるなか、これはたいしたものだと思った。

しかし、そう思いつつも、少し複雑な気持ちにもなる。私自身のことをつい振り返ってしまうからだ。私は高校生の頃、とてもではないが、彼らのような強い意欲も能力も表現力ももっていなかった。こんなセミナーがあっても参加しただろうか、と思う。将来の明確な展望もなく、他人に対して自己を主張するほどの表現力も表現内容もなかった。ただあれこれ小説を読んだり、鬱々《うつうつ》と迷ったりしていただけであった。

そもそも文章を書くことは大嫌いだったし、現代文、古典、漢文といった国語教科はまったく好きにはなれなかった。こころの支えは、ロマン・ロランのジャン・クリストフや、ドストエフスキー『罪と罰』のラスコーリニコフや、マルタン・デュ・ガール『チボー家の人々』のジャックや小林秀雄の描くゴッホたちであった。えらく暗い青春前期だったと思う。ところが、似たような仲間がそれなりにいて、いつもボソボソ、グダグダとしゃべっていた。

「論理国語」と「文学国語」に分ける愚

人は何かを語るとき、どうしても自分の経験を参照する。だから、私の場合、昨今の高校における学習指導要領の改変、大学入試の改革等も、この私のような高校生がいるとして、その目線から論じてみたくなるのだが、ここで書いてみたいのは、国語教育改革についてだ。

しばしば論じられるのが、「現代の国語」を「論理国語」と「文学国語」に分割するという「改革」だ。どこからこのような発想がでてきたのか理解に苦しむが、多くの人が指摘しているように、文学的な感性や想像力をもたない論理はないし、また、それなりの内的な論理をもたない文学もない。この原則の一事に立つだけでも、これがほとんど無意味な「改革」であることは論をまたないであろう。この30年、われわれは、いったいどれだけの「改革」を見てきたのだろう。そしてそのほとんどが「改悪」であった。

しかし、ここで気になるのは、その背景的な事情である。それは世界の15歳の生徒を対象にしたＯＥＣＤ（経済協力開発機構）のＰＩＳＡ（国際学習到達度調査）における日本の地位の低下だ。２００３年に読解力低下のＰＩＳＡショックが生じた後、多少の紆余《うよ》曲折の後に、この12月に公表された読解力において日本は15位と過去最低順位を更新した。

この事情が国語能力への危機感を高めたことは想像に難くない。とりわけ実用文の読み取り能力が低下している、という。したがって、論理国語を重視し、実用主義の方向で学力を向上させる、という。もっと有り体にいえば、ＰＩＳＡで恥ずかしくないように学力を向上させる、ということだ。

ＰＩＳＡを指標とした名誉挽回《ばんかい》とばかりの読解力の向上など無意味だとしか思えないが、それは別としても、確かに、若者の読解力や表現力が著しく低下しているという印象はぬぐえない。いや、若者だけではない。大人も大差ない。居酒屋で近辺から聞こえてくる大人の会話の、概略、内容と表現力の欠如を大声やカラオケでカバーするという、もうおなじみになった光景をあえて論じるまでもなかろう。電車やバスに乗れば、大人も若者も、ひたすらスマホに見入っている。

子供のうちから、スマホとゲーム漬けになり、降り注ぐような情報にさらされ、万事を情報処理として受け止める若者たちから読解力も表現力も失われてゆくのは当然のことであろう。大人とて同じことである。われわれは、この20年ほどで、まさにそういう種類の社会を意図して作り出してきたのだ。過度な情報化と競争社会が、社交というものの作法を失わせたのである。

読解力が低下しない方が不思議

しかしここにもうひとつの要因がある。先日、あるレストラン経営者と話をしていたら、次のようなことをいっていた。若い者が修業にきても、簡単に叱れない。また、「君はどうしてそれをやりたいのか、ちゃんと説明してくれ」ともなかなかいえない。少し強くいうと、パワハラだといわれかねないからである。その種のことがネットで拡散すると仕事にさしつかえるからだ、という。

確かにこうした風潮が社会を覆っている。明らかにPC（ポリティカル・コレクトネス）が行き過ぎているのである。もちろん、とんでもないパワハラが現実に教師の間でさえも生じているのだから、パワハラの告発そのものが悪いわけではない。だが、あまりに単純化された正義が絶対化されてしまい、反論を許さない、という風潮ができてしまった。

　戦後日本社会では、平和主義や民主主義、平等主義や人権主義などは憲法で保障された絶対的な正義とされ、その憲法そのものがあたかも聖典であるかのように祭り上げられた。その結果、これらの正義に対する疑義はあらかじめ正当性を剥奪《はくだつ》されてしまった。逆にまた、それに反発する側も敵対的な論難を仕掛けるだけという傾向が強い。

　学校という場にあてはめれば、みんな仲良く、平和が大事、誰もが平等、他人にやさしく、などといった耳当たりのよい概念があらかじめ思考の着地点になってしまった。そこで、この着地点に納得のいかない者は、陰で暴力をふるうか、学校からドロップアウトすることになる。これでは思考も貧困になるだろう。

　さらに、漢字の使用が制限され、難解な文章の読解が忌避され（これもあたかも暗黙のパワハラであるかに感じられたのだ）、できるだけ身近な読みやすい教材が選ばれる、ということになる。そこにツイッターなどの「いいね」式の文章やＬＩＮＥの短いメッセージが横行すれば、読解力も表現力も低下しない方が不思議だ。

　読解力とは、著者の意図を正確に読み、かつそれを自分なりに解釈することである。著者の意図を正確に読み取るには、著者の立場や気持ちがわからなければならない。そのためには、それなりの経験と想像力がいる。経験と想像力を養うには、様々な障害とぶつかり、自明とされていることに疑問をもち、それらを自分の頭で考えてみなければならない。正しい結論などどこにもない。誰もそれを教えてはくれない。

ものを考えるには時間がかかる。試行錯誤を繰り返すしかない。これは、孤独で面倒でいやな作業であろう。だから、この孤独でいやな作業の手助けをする者が必要なのであって、それこそが学校であり、教師であり、家庭であり、場合によっては友人や知人であり、時には、読書なのである。

思想や文学の基礎的な読解こそ必要

国語の読解力が大事なのは、翻訳も含めて、国語で書かれた文章のなかに、先人たちの経験やそれをもとにした思索の跡が刻印されており、それを知ることがわれわれの想像力をかき立て、また鍛えるからである。それを鍛えることによって、大人になって社会にでてからの他者との社交もよりよきものとなろう。

ただそのためには、古典とされる文学も、少々難解とされる思想書も読まなければならない。その程度の難解さに直面し、答えの見えないなかを試行錯誤することが、現実の人生における難問を前にして多少は役に立つこともあるだろう。そして、そのためには、先人の残した古典や文学や思想への敬意がなければならない。

かつては、社会全体にそのような敬意があった。権威もあった。しかし、戦後の日本では、先人の残した経験や古典への敬意は低く見積もられ、社会でも学校でもあらゆる次元で権威が破壊されていった。その上に、フェイクも駄弁も中傷も平等にふりまかれるこの情報化社会がやってきた。このなかで古典や思想や偉大な文学への敬意を回復するのは容易なことではなかろう。今日、われわれを取り囲んでいる、この過剰なまでの情報と競争の社会、短期的な成果主義や万事における革新主義（改革論）、それに行き過ぎたＰＣ、という時代風潮こそが、読解力への障害となっていることを肝に銘じなければなるまい。

数値的に示され、成績で評価される学力を向上させたければ、わかりやすい実用的文章を読ませ、難解で主観的な思想や文学は避ければよいだろう。しかし、それが本当の意味での読解力にもならなければ、文章から何かをえるという人生経験にもならないことは明らかである。

だが、だからこそ、われわれはひとつの大きな岐路に立たされ、決定的な選択に直面している。高度な情報化とグローバリズムのなかで世界的な競争に勝ち抜く人材を育成し、あらゆる分野で学力の向上を目指すべく教育改革を断行するという方向が一方にある。今日の英会話能力の向上などもその方向を向いている。他方には、国語力を、生の経験の基礎的な訓練とみなして、国際競争力などに振り回されることなく、思想や文学の基礎的な読解を時間をかけて訓練する、という方向である。私は躊躇《ちゅうちょ》なく後者こそが必要だといいたい。

今日、学力向上が至上命令になり、学力低下が起きるとすぐに「改革」が行われ、ただただ学校教育現場の負担がふえる。これでは、まったく逆効果である。問題があることは事実だが、その解決のために、負担を付加するのではなく、余計なものをできるだけ減らして、もっとも根本的なところへと立ち返るべきなのである。

（2019年12月28日）

かくも脆弱だった現代文明

グローバリズムが引き起こしたパンデミック

新型コロナウイルスの流行が終息しない。米国や欧州に続き、東京でも感染拡大が続いている。私にはこのウイルスの脅威の程度を判断することはできないし、政府の様々な措置についても論評することはできない。ただここで論じてみたいのは、現代社会もしくは現代文明に対して、このウイルスがもっている意味である。今日の事態を少し突き放してみた場合、このコロナウイルス騒動は、見事に現代文明の脆弱《ぜいじゃく》さをあらわにしてしまったように見える。

現代文明は、次の三つの柱をもっている。第一にグローバル資本主義、第二にデモクラシーの政治制度、第三に情報技術の展開である。それらは、人々の幸福を増進し、人類の未来を約束するとみなされてきた。だが、今回のコロナウイルス騒動は、この楽観的な将来像に冷水を浴びせかけた。

グローバリズムとは、人、モノ、カネの国境を越えた移動であるが、今回、われわれはそこにウイルスや細菌を付け加えなければならなくなった。ほんの2カ月ほどの間に、ウイルスのグローバル化が生じたのである。

もちろん、かつて16世紀に欧州から新大陸に持ち込まれた天然痘の大流行も、第一次世界大戦末期のスペイン風邪もいわば当時のグローバリズムのなかで生じたものだし、近年のＳＡＲＳ（重症急性呼吸器症候群）やＭＥＲＳ（中東呼吸器症候群）も世界へと飛び火した。だが、それにしても、今回のウイルスのグローバル化は驚くほど急速であり広範なものであった。

このパンデミックを引き起こしたものは、冷戦以降のグローバリズムである。世界的な市場競争が企業の海外進出を促し、また、ＥＵのように、自由と民主主義の理念によって移民を受け入れ、広範な人口移動をもたらした。そこへ世界的な観光ブームである。

そして、グローバル経済のひとつの中心が中国であった。中国が世界の工場になり、各国は中国の市場をあてにして自国経済を成長させようとした。世界中が中国頼みになったのであり、この各国の戦略が、中国発のウイルスによって逆襲されたわけである。

ところでパンデミックとは、ギリシャ語の「パン（あまねく）」と「デモス（大衆、人々）」の合成語である。パンデミックとは、あまねく人々の上に関わってくる、というわけで、これは「デモス」による政治であるデモクラシーをも揺るがしている。

今回のコロナウイルスの場合、統計数字の示すところでは、致死率は、通常のインフルエンザより多少高いものの、さして深刻なレベルではない。感染力は多少高いといわれるが、極端なものではなく、また、感染者の8割は軽症で治癒するという。

情報化とデモクラシーでパニックが増幅

では政府は何もする必要はないかといえば、むろんそうではない。インフルエンザはもはや感染を封じ込めることはできないが、コロナの場合には、感染ルートが特定できればある程度感染速度を落とすことはできる。逆にパンデミックになれば、きわめて深刻な事態になる。したがって感染爆発状態に至る前に強力な対策をとることは必要であり、休校措置、イベントの中止、渡航制限などはやむを得まい。それは常識的な判断であって、だからといって、今回のコロナがとんでもない毒性をもっているということではない。にもかかわらず、ほとんど日本中がパニックになった。一時、街からは人が姿を消し、店からはトイレットペーパーが姿を消し、株式市場はパニック売りとなった。

結果的にパニックを助長したのはテレビの報道番組でもあり、その大半は、私にはドタバタ劇としか思えなかった。たとえば、ある報道番組では、ある識者が安倍晋三首相の休校措置を批判し、ちゃんとした根拠を示すべきだ、唐突な決定では現場が混乱するだけだ、という。ところがそのすぐ後で、中国、韓国からの渡航制限の決定に対しては、遅すぎる、もっと事態を深刻に受け止めてリーダーシップを発揮すべきだ、という。また別の識者は、これが排外主義につながることを危惧する、というわけで、万事、まったくチグハグなのである。

また連日、恒例の「今日の感染者数」の報告がなされ、事態の深刻さを訴えるかと思えば、専門家の「感染者数よりも死者数が問題だ」という見解を報道する。ここ2週間が目途《めど》だと首相がいった。で、2週間が過ぎたが目途が立たないとなると、それはあたかも政府の責任であるかのような口ぶりである。

政府の対応が場当たり的でその場しのぎだと批判するが、私には、政府を批判する報道番組も相当に場当たり的であるように見えた。政府批判をしつつ政府に依存し、問題の解決を政府に委ね、できなければ政府の責任を問うというこの構造は、今日の情報化社会のデモクラシーの姿そのものである。こうなると、政府の説明不足も含め、情報化とデモクラシーがパニックを増幅しているということも可能だろう。

問題は、新型コロナがまったくもって未知のウイルスだという点にある。何が事実であるかが、本当のところわからないのだ。どれだけの脅威かもわからないのである。これは、ある程度、経験的に確率的な予測ができる「リスク」ではなく、経験値がほとんどなく確率的予測も不可能な「不確実性《アンサーテンティー》」の状態である。リスクならまだしも政府による「リスク管理」の可能性もあるが、不確実性にあっては、誰も予測も管理もできない。

コロナ禍があぶりだしたもの

今回のような新型の病原体の出現は、リスクではなく不確実性である。そのときかろうじて頼りになるのは、政府や報道ではなく、われわれのもつ一種の「常識」や「良識」であろう。政府に依存し、報道に振り回されるよりも前に、自らこの事態をどう捉え、どう行動するかを判断するための「常識」であり「良識」である。

先日、ある知人がこういっていた。電車に乗っていると、河川敷で小学生たちが遊んでいるのが見えた。公園でも遊んでいた。それを見て、何かほっとした、という。昔はこういう光景が日常であった。今日、子供は帰宅するやいなや塾に行ってしまい誰も遊んでなどいないのだ。

ところがこれに対して、学校を閉じておいて公園で遊ぶのはおかしい、外出を禁止すべきだ、というクレームが政府に寄せられる。そこで文部科学省が、散歩その他の、多数が群れない程度の外出は問題ない、という旨の発表をした、という。何をかいわんやであろう。それほど、われわれは「常識」から遠くなってしまった。

ある高校教師がいっていた。休校になって初めて、職員室で教諭同士が話すようになった。これまで、多忙のため話もできなかった他の教師のことがようやくわかった。おかげで職員室の雰囲気が随分とよくなった、と。また、あるサラリーマンがいっていたが、在宅勤務がふえ、初めてゆっくりと子供や家族と過ごす時間がもてた。また、私の住んでいる京都では、ようやく本来の静かな街が戻ってきたという声はよく聞かれる。ここでも改めて、われわれがいかに「常識」から隔ってしまっていたかを知るのである。

言い換えれば、この10年、20年のわれわれの生活がいかに「異常」だったかということになる。皮肉なことに、今回の「異常事態」が、逆に、この間のグローバル競争の異常性をあぶりだした。確かに、今後、企業の業績悪化などによる経済の悪化はかなり深刻であろう。経営に苦慮する商店も多数でている。

しかし、上の実感が正直なものだとすれば、今日のグローバル資本主義のなかで、われわれはすっかり余裕もゆとりも失っていたということになる。市場主義や効率主義や過剰な情報文化は、われわれから思考能力も「常識」も奪い取っていった。人々と顔を突き合わせて話をし、家族や知人とゆっくりと時間をすごす日常的余裕がなければ「常識」など消えてしまう。それだけではなく、この間の市場主義は、医療や病院という公共機関を効率性にさらすことで、医療体制にも大きなダメージを与えてきたのである。

もしも今回のコロナのパンデミックが、多大な経済的打撃を与えるとすれば、それほど、われわれは脆《もろ》い、ギリギリの経済競争のなかで生きていた、ということである。生産拠点を中国に移し、中国からのインバウンドで経済成長を達成するというやり方の危うさが明らかになった。われわれは、自らの生存の根底を、海外状況、とりわけ中国に委ねているという事態の危うさである。そこまでしてわれわれはもっと豊かになり富を手にしたい、という。だが、この数年のインバウンド政策にもかかわらず、経済成長率はせいぜい1%程度なのだ。いったい、われわれは何をしているのだろうか。

人類は長い間、生存のために四つの課題と闘ってきた。飢餓、戦争、自然災害、病原体である。飢餓との闘いが経済成長を生み、戦争との闘いが自由民主主義の政治を生み、自然との闘いが科学技術を生み、病原体との闘いが医学や病理学を生んだ。すべて、人間の生を盤石なものとするためである。そしてそれが文明を生み出した。

だが、この極北にある現代文明は、決してそれらを克服できない。とりわけ、巨大地震や地球環境の異変は自然の脅威を改めて知らしめ、今回のパンデミックは病原体の脅威を明るみにだした。文明の皮膜がいかに薄弱なものかを改めて示したのである。一見、自由や豊かさを見事なまでに実現したかに見える現代文明のなかで、われわれの生がいかに死と隣り合わせであり、いかに脆いものかをわれわれは改めて知った。

カミュの『ペスト』がよく読まれているというが、そこでカミュが描いたのは、人間がとても管理しえない不条理と隣り合わせになった人間の生の現実である。文明のすぐ裏には、確かに常に「死」が待ち構えているのである。

（２０２０年３月31日）

人が死生観を求めるとき

「ダモクレスの剣」はつねに頭上にある

誰もが自分が死ぬことはわかっている。しかし、自死を別にすれば、いつどのように死ぬのかはわからない。そこに何ともいえぬいやな感じがでてくる。たとえ死そのものについての覚悟を決めたとしても、それが、どのようにやってくるのかわからないからだ。だから、人は、日常のなかでは、できるだけ死を頭から遠ざけるのも当然であろう。

ところが、こちらは決して歓迎もしていないのに、死が向こうから近づいてくるときがある。大病にかかったり巨大災害に遭遇したりすることもあるが、今回の新型コロナウイルスの大流行もそうだ。

統計数字的にいえば、それほど恐れるほどのものではない。国や地域によって違いがあるが、こと日本に関する限り、たとえば現時点の東京の感染者数は、無症状者も考慮して多く見積もって約６０００人としよう。一方、人口は約１４００万人。感染確率は０・０５％にもならない。死者数は３００人強であるから、致死率はたいへんに低い。日本全体で見ても、感染確率は高く見積もっても０・０２％以下である。一方、インフルエンザによる直接、間接の死者数は年間約1万人とも推定され、２０１８〜19年の感染者数は何と約１２００万人を超えている。

これだけ見れば、インフルエンザの方がはるかに怖い感染症である。普通の生活をしておれば、コロナなどめったに感染することもないという確率である。確かに過剰に危機をあおるのは不適切であろう。しかしこれはあくまで統計数字の話に過ぎない。

今回のコロナの怖さは、その病状がわかりにくい点にあった。朝には元気だった人が夜には急に重篤になる。肺炎のみならず、全身の臓器に症状が表れる。血管のなかで血栓を作る。しかもそれを引き起こすのが「サイトカインストーム」と呼ばれる過剰免疫だそうだ。まさに「未知との遭遇」なのである。しかも、「濃厚接触」には身に覚えがない、という人でも感染している。

こうなると、誰もが感染の危機にさらされており、感染すれば命に関わることもある。いくら確率０・０２％といっても、一人一人の実存の感覚からすれば、「かかる」か「かからない」か、「生きる」か「死ぬ」かのどちらかなのである。しかも、コロナはどこに潜んでいるかわからない。見えない敵によっていつ死に直面するかわからない、という不安にわれわれは襲われたのだ。

本当のことをいえば、われわれは常に、「生」か「死」かという実存的状況にさらされている。明日には巨大地震が襲うかもしれない。交通事故にあうかもしれない。いつ心臓発作にみまわれるかもしれない。「ダモクレスの剣」のように、いつ頭上から剣が落ちてきて命を落とすかもしれないのだ。しかし、誰もそんなことは意識していないし、いちいち気にしていれば生活も成り立たない。

かといって、次の瞬間に命果てればそれもよし、という覚悟を決めているわけでもない。何となく意識から遠ざけているだけなのである。そうした日常に、今回のコロナは死の剣を突き付けた。少し感染者数が増加すれば、萎縮したかのように自粛に入り、解除されれば一気に外へ飛び出す。自粛のなか、命がけでパチンコ屋に出向いた面々にも、確たる死生観があったとも思えない。

いかなる対策をどのように打とうと、感染症は必ず人に襲いかかる。そのとき、人はどうしても不条理な死に直面せざるを得ない。生と死について思いをめぐらさざるを得ない。われわれは、この不条理な死を納得できなくとも、それを受け止めるほかない。そのとき、われわれは何らかの死生観を求めているのではなかろうか。

古人は不条理を「無常」として受け入れた

ところで、京都の祇園祭のハイライトである山鉾《やまほこ》巡行が中止となった。たいへんに皮肉なことである。なぜなら、もともと祇園祭は８６３年に神泉苑で行われた御霊会《ごりょうえ》に起源をもち、それは、都で流行した疫病対策だったからである。疫病は思いを残して死んだ人の怨霊が引き起こすものと考えられており、この年の疫病も牛頭天王《ごずてんのう》、須佐之男命《スサノオノミコト》の祟《たた》りだとされたのである。しかも、次の年には富士山が噴火し、８６９年には貞観大地震が起きる。災害続きであった。ここに祇園祭が誕生する。それはもともと悪霊の鎮魂の祭りだったのである。

昔の日本人にとっては、疫病にせよ災害にせよ悪霊の祟りであった。そのとき、人は神を祀《まつ》り、鎮魂の祭りを執り行い、大仏や薬師如来を造り、また弥陀《みだ》の本願にあずかるべく一心に念仏を唱えた。それでも災害や疫病が無慈悲に人の命を奪うとき、人は、この不条理を「世の定め」として受け入れるほかなかった。人知は限られており人力も限界がある。人は自然や天の前にこうべを垂れ、神や仏にすがるほかなかった。

そしてこの世の不条理な定めを、昔の人は「無常」といった。「行く川の流れは絶えずして、しかも本の水にあらず。よどみに浮かぶうたかたは、かつ消えかつ結びて久しくとゞまることなし。世の中にある人とすみかと、またかくの如し」（鴨長明『方丈記』）というわけである。

日本にはユダヤ・キリスト教ほど強い教義をもった宗教はない。だが、神と結びついた死後の魂《たましい》の観念や、浄土教のような極楽信仰や、あるいは仏教の生死一如といったような死生観は、まだ古人のこころをそれなりに捉えていたのであろう。それらは、とうてい受け入れがたい不条理な死をも受け止め、死という必然の方から逆に生を映し出そうとした。いずれ、生死ともに「無常」という仏教的観念が日本人の精神の底を流れていたことは疑いえまい。

常に死と隣り合わせの生を送った武士にとって、「諸行無常」が生死の覚悟の種になったことも事実であろう。死を常に想起することによって、生に対して緊張感に満ちた輝きを与えようとしたのである。西洋では、ペストに襲われた中世人は、常に「メメント・モリ（死を想《おも》え）」を戒めにしたという。

もちろん、今日のわれわれは、感染症が悪霊の祟りだなどとは思わない。スサノオノミコトの仕業だなどと新聞に書けばボツにされるだけだ。薬師如来にお参りにいきたくともお寺の門も閉ざされている。地上の現象の説明を非理性的な超自然界に求めることは今日ではタブーといってもよい。

近代人は生と死を国家に委ねた

その代わりに、今日、われわれの生と死に対して責任をもつのは国家なのである。「まつりごと」が「祭事」から「政事」に代わったのだ。17世紀イギリスの哲学者トマス・ホッブズが、その国家論において、国家とは何よりもまず人々の生命の安全を確保するものだ、と定義して以来、近代国家の第一の役割は、国民の生命の安全保障となった。われわれは自らの生と死を、自らの意思で国家に委ねたことになる。こうしてホッブズは世俗世界から宗教を追放した。超自然的な存在によるこころの安寧や魂の安らぎなどというものは無用の長物となった。

かくて、コロナのような感染症のパンデミックにおいては、国家が前面に登場することになる。われわれ自身でさえも、己の生死に対する責任の主体ではなくなるのだ。国民の全体が、たとえ０・０２％の確率であれ、生命の危険にさらされている場合には、その生死に責任をもつのは政府なのである。それが「国民」との契約であった。ドイツの法学者カール・シュミットのいう例外状態、つまり国民の生命が危険にさらされる事態にあっては、私権を制限し、民主的意思決定を停止できるような強力な権力を、一時的に、政府がもちうるのである。これが、ホッブズから始まる近代国家の論理である。

そして、いささか興味深いことに、今回、世論もメディアも、政府に対して、早く「緊急事態宣言」をだすよう要求していたのである。ついでにいえば、普段あれほど「人権」や「私権」を唱える野党さえも、国家権力の発動を訴えていたのである。強権発動をためらっていたのは自民党と政府の方であった。

自立の精神も諦念もない国民

これを指して、日本の世論もメディアも野党も、なかなかしっかりと近代国家の論理を理解している、などというべきであろうか。私にはそうは思えない。今回の緊急事態宣言は、もちろん一時的なものであり、しかも私権の法的制限を含まない「自粛要請」であった。しかし、真に深刻な緊急事態（自然災害、感染症、戦争など）の可能性はないわけではない。そのときに、憲法との整合性をいったいどうつけるのか、憲法を超える主権の発動を必要とするような緊急事態（例外状況）を憲法に書き込むべきではないのか。こういったそれこそ緊急を要するテーマに、野党もまたほとんどのメディアもいっさい触れようとはしない。

そうだとすれば、政府はもっと強力な権力を発揮してくれ、という世論の要求も、近代国家の論理によるというよりも、ほとんど生命の危険にさらされた経験のない戦後の平和的風潮のなかで生じた一種のパニック精神のなすところだったと見当をつけたくなる。いざというときには国が何とかしてくれる、というわけである。国家はわれわれの命を守る義務があり、われわれは国家に命を守ってもらう権利がある、といっているように私は思える。ここには自分の生命はまず自分で守るという自立の基本さえもない。もしこれが国家と国民の間の契約だとすれば、国民は国家に対して何をなすべきなのかが同時に問われるべきであろう。

今日、死生観などということは誰もいわない。だが、私には、どこか、古人のあの、人間の死という必然への諦念《ていねん》を含んだ「無常感」が懐かしく感じられる。少なくとも、古人は、その前で人間がこうべを垂れなければならない、人間を超えた何ものかに対する怖《おそ》れも畏《おそ》れももっていた。そこに死生観がでてきたのである。われわれも、こころのどこかに、多少は古人の死生観を受け継ぐ場所をもっておいてもよいのではなかろうか。

（2020年6月27日）

安倍政権とは何だったのか

これほど「仕事」をした政権はない

安倍晋三首相の突然の辞任により7年8カ月におよんだ長期政権は幕を下ろした。ここでは、安倍政権の成果についての具体的評価ではなく、この政権が携わった8年近くの時代的状況や文明的状況との関連においてこの政権のもった意味について書いてみたい。

疑いもなく、近年、これほど「仕事」をした政権はなかった。健康不安を抱えながら驚くべき活動量であった。特に経済と外交、安全保障においてはそうである。

アベノミクスは、あらゆる経済政策を総動員した。また「地球儀を俯瞰《ふかん》する」外交は、世界中を飛び回った。トランプ米大統領との親密な関係だけではなく、ロシアのプーチン大統領ともそれなりの信頼関係を築き、主要国首脳会議においても存在感を示した。

安全保障に関していえば、集団的自衛権の行使を一定限度内で明文化する「安全保障関連法」の成立や、とりわけ東アジアの情勢を鑑《かんが》みた上での緊密な日米同盟の強化がある。

これらは、賛否はあるものの、安倍政権でなければ成しえなかった「仕事」である。だが、それでどうなったのだろうか。アベノミクスは、確かに一定の成果はもたらした。経済状況は明らかに上向いた。だが、これほどの規模の金融緩和と財政政策、それに多様な成長戦略を考えれば、とても十分に成果をあげたとはいえない。

世界中を股にかけた外交によって、日本の国際的な評価は高まった。だがそれにもかかわらず、それが、日本や世界に対して何をもたらしたのかと問えば、答えに窮する。トランプ大統領との親密な関係および日米同盟の強化は、一定の現実的成果といえようが、なにせ相手がトランプ氏であれば、この関係を無条件で肯定できるかといえば疑問もでるだろう。

集団的自衛権の行使を一定限度内で明文化したことは、確かに現実的で重要な「仕事」であったが、集団的自衛権の明文化によって、逆に、安倍氏の悲願であった憲法改正の必要性を弱めてしまった。皮肉な結果である。

間違いなく安倍氏は、次々と出現する問題に現実的に対処し、行政府の長として、近年にない指導力を発揮したといってよい。浮気性の世論を相手に、8年近くもそれなりに高い支持率を維持すること自体が驚くべきことである。

にもかかわらず、それが成し遂げたものとは何かと問えば、明瞭な答えはでてこない。すべてが、何か中途半端であり、その成果はというと確定しづらく、評価も難しいのである。いったいどうしたことであろうか。

私には、その理由は、この10年ほどの世界状況と、その中における日本の立場そのものに由来するように思われる。しばしば安倍政権には遺産（レガシー）がないといわれるが、それこそがまさに、今日の時代を映し出している。

戦後体制3点セットが機能した時代

戦後の長期政権を眺めてみれば、それぞれの政権に与えられた課題はかなり明確であった。安倍氏の祖父である岸信介政権にとっては、戦後の不平等な日米安保体制を少しでも対等化し、日本の安全保障を確実なものとするという課題があった。それを引き継いだ池田勇人政権にとっては「所得倍増」という経済成長が課題となる。続く佐藤栄作政権にとっては、戦後日本の対米従属を象徴する沖縄の返還は「悲願」であった。

続く長期政権といえば１９８０年代の中曽根康弘政権であるが、この政権にとっては、冷戦の最終局面において、日米関係の緊密化と新自由主義路線による自由主義陣営の勝利が陰に陽に目指されていた。また、その後の小泉純一郎政権にとっての課題がもっぱら構造改革であったことはいうまでもない。

こう見てくると、戦後から冷戦終結あたりまで、日本の各政権にとっては大きな課題設定が比較的容易であった。その理由は簡単である。戦後日本の国家体制の基軸は、「平和憲法」と「米国による日本の安全保障」とそのもとでの「経済成長」の3点セットだったからである。いわゆる「吉田ドクトリン」である。

それを前提にしつつ、日本の国家的自立を少しでも高めるというのが、岸にせよ佐藤にせよ中曽根にせよ、戦後日本の政治的課題であった。また、池田のように、その枠組みのもとで経済成長を追求すればよかった。それが可能だったのは、あくまで日本もまた、自由主義陣営のなかで冷戦体制に組み込まれていたからである。これが日本の「戦後体制」である。

価値失墜の「危機の時代」へ

だが、世界状況は、冷戦後、まずひとつの歴史的屈折点を迎える。冷戦体制の崩壊は、自由主義陣営の勝利を意味し、それは米国流の価値観の世界的拡大を意味していた。グローバリズム、市場中心主義、リベラルな民主主義、といった価値観の世界化である。もちろんその中心に座るのは米国である。

では日本は、冷戦後の世界状況にどのように対処したのか。皮肉なことに、冷戦の勝者であったはずの日本は、バブル崩壊後、長期の経済低迷に陥っていった。そこで、平成日本の課題は、経済再建となり、そこに、グローバリズムと市場中心主義を唱える構造改革が出現する。

だがこれはまた、米国流の価値観による日本社会の大変革であり、その最終段階が小泉改革であった。

ところが、この「冷戦後」の時代は、20年もたずにうまくいかなくなる。2001年のアルカイダによる米国中枢部へのテロは、米国流の世界秩序への攻撃であり、イスラム主義と欧米的価値観の対立であった。08年のリーマン・ショックから09年以降のギリシャ財政危機へ、そしてその後のEU（欧州連合）の危機は、リベラルな民主主義や市場中心主義を決定的に揺さぶるものであった。

さらに、あろうことか、冷戦の敗者であったはずの共産主義の中国が、米国の地位を脅かす大国となったのだ。先進国は軒並み、大規模な金融緩和と財政政策にもかかわらず、低成長にあえぎ、また経済格差の拡大に苦しむ。その結果がトランプ大統領を生み出したのである。

100年ほど前、文明論者のオルテガは、既存の価値観が崩壊し、しかも次の新たな価値観が見えず、人々は信じるにたる価値を見失って、社会が右へ左へと動揺する時代を「歴史の危機」もしくは「危機の時代」と呼んだが、まさしく、2010年代は、小規模な「危機の時代」である。グローバリズム、リベラルな民主主義、市場中心主義、米国流の世界秩序といった「冷戦後」の価値が失墜し、しかもその先はまったく見通せないのである。

安倍政権が誕生したのは、まさにこの「危機の時代」であった。この不安定な時代には、次々と問題が発生する。人々の不満は高まる。民主主義は政治家に過度なまでの要求を突きつける。安倍政権は、確かに、次々と生じる問題にその都度、対処しようとした。「仕事」に忙殺される。しかし何をやっても経済はさしてうまくゆかず、いくら外交舞台で地球上を飛び回っても、国際関係は安定しない。外交で、安倍氏個人への信頼は高まっても、今日の複雑に入り組んだ国家間の軋轢や経済競争は容易には改善されないのである。

なぜ大課題を掲げられなかったのか

結局、安倍政権は、このきわめて不安定に動揺する時代を、アベノミクスによる経済再生と日米関係の強化によってやり過ごそうとした、ということになろう。しかし、それこそは、吉田ドクトリン以来の「戦後日本」そのものである。第一次の政権にあって「戦後レジームからの脱却」という大きな課題を掲げて失敗した安倍氏は、今回の第二次政権では、このような大課題を撤収して、もっぱら現実的問題に対処する道を選んだ。だが、それが結果として、むしろ「戦後レジームの完成」へ至り、さらには「戦後レジームの限界」をあらわにしてしまったとすれば、かなり皮肉な結果といわねばならない。

安倍政権が、大きな課題を掲げることができなかったのは当然であり、またその「仕事」が大きな成果を生み出せないのも当然である。もはや、この時代には、経済成長主義も日米同盟による安全保障も自明ではなくなってしまったからである。焼け跡の復興から始まった日本の戦後が、まだまだ上昇機運にある時代には、大きな課題、つまり将来へつながる国家目標を掲げることができた。しかし、世界状況がこれほど混沌《こんとん》とし、人口減少によって経済成長も困難となり、おまけに自然災害や疫病までが襲ってくる時代には、何を掲げればよいのであろうか。

安倍政権の課題が、震災からの復興、デフレからの脱却、教育の立て直し、集団的自衛権の明文化といったいわば、マイナスをゼロに戻すという消極的なものでしかなかったことを思いだす必要があるだろう。これは安倍政権の責任ではなく、日本の置かれた状況の問題である。言い換えれば、「戦後日本の体制」というべきあの3点セットはもはや機能しないことを示している。

最高の地位にある政治家は、また行政のトップでもある。最高の行政官は、国民の要求に応えなければならず、また国家の直面する目前の問題に対して現実に対処しなければならない。まさに身を粉にして「仕事」をしなければならない。「仕事」をすれば支持率はあがる。だが、政治家とは、世界状況を読み、そのなかで国家の長期的な方向を示すべき存在でもある。「旗」をたて、その旗のもとに結集すべく人々を説得する「指揮官」でもある。

今日、「国民の要求に応えるべく必死で仕事をする」というのが政治家の決まり文句になり、人々もそれを求める。だがそれはあくまで行政官としてであって、政治家とは、人々にその向かう方向を指し示す指揮官でもなければならない。時代の困難さはあれ、安倍氏がこの意味での政治家であったとは思えないのである。その同じ課題は次の指導者にも求められるだろう。この不透明な時代にあって、たとえそれがどんなに困難なことだとしても、である。

（2020年9月25日）

第3章 さらば、欲望

「不要不急」と「必要」の間

コロナ禍で「命」がふたつに分裂

新型コロナウイルスに始まったこの1年（2020年）もやがて暮れようとしている。あまり季節感がない1年だった。とはいえ、自然の方は着実に時を刻んでいるようで、少し前には紅や黄にそまっていた木々はすっかり葉を落としている。

新型コロナ禍（もしくは騒動）については、すでに2度ほど書いたし、また別の媒体にも何度か書いた。おおよそ書きつくしたはずなのに、それでもまだ論じてみたいことはでてくる。

この騒動のなかで様々な言葉が飛び交ったが、気になったひとつは「不要不急」の4文字であった。「不要不急の外出自粛」である。

ところが「不要不急」を自粛すると今度は経済が回らない。そこで、「旅行にでよ」「食事にでよ」と「不要不急の外出」を奨励する政府に即座に反応して、この秋には、都市の中心部や観光地に人々は押し寄せた。一方、コロナ禍のなかで事業の継続が困難となり、失職して明日の生活にも苦労する困窮者たちが出現する。にぎやかな旅行者の群れと生活困窮者が同時に現れる。

この何とも奇妙な光景をどう理解すればよいのだろうか。私には、狂気じみた笑劇のように映る。もちろん、生活困窮者にとっては笑劇どころではないだろうが、少し突き放してみれば、われわれは、何とも奇妙な社会にいる。コロナのおかげで、「命」がふたつに分裂したのだ。感染症による生物的な意味での命の消失と、経済的破綻からくる命の消失である。このふたつが矛盾することになった。

だがそれは、新型コロナという未知のウイルスに襲撃された一時的な歪《ひず》みなのだろうか。それとも、新型コロナが暴き出した現代社会の抱える異常性なのだろうか。

政府も経済界も投資家も、今日の状況は未知のウイルスによる一時的な変調だと見ようとしている。ワクチンが行き渡り、治療法が確立すれば問題は解決し、そこへ「デジタル化」や「グリーン社会化」を推進すれば、すぐに経済は成長軌道に戻るだろう。あたかもパソコン上で1ページ消去するかのように、この1年を消去すればよい。「コロナ後」とは、新たなイノベーションをめぐる、米中を軸にしたグローバル競争の時代だという。

こういう見方は確かにありうるだろう。だが、それでは何のためのコロナ騒動であったのだろうか。いったい何を学んだのであろうか。この1年が、ワクチンができるまでの小休止程度であるとしても、私は、この1年の「狂気じみた笑劇」から透けて見えたものを、可能な限り深刻に受け止めたいと思う。それを「不要不急」から考えてみたいのである。

あらゆる文化が経済に従属

いうまでもなく「不要不急」の反対は、いわば「必要火急」である。「必要火急」は、それがなければ人間の生存が脅かされる絶対的必要だとすれば、「不要不急」は、生命の維持には直接に関わらない。「生命の維持」からすれば、それは無駄なもの、過剰なものであろう。ところが、この無駄を止めた途端に、「必要火急」が切迫し、「生命の維持」さえも危機に陥ることとなった。

となれば、現代社会において、われわれの生命や生存は「不要不急」なもの、無駄なもの、過剰なものによって支えられているということになる。

どうしてそうなるのか。さしあたり答えは簡単だ。現代社会では、あらゆる活動が市場化され、人は、日々の食料から刺激的なエンターテインメントに至るまで、ほとんどのモノやサービスが市場によって提供されるからだ。簡単にいえば、もはや市場に依存しなければわれわれは生きてゆけないのである。

それだけならまだしも、今日、われわれは、不要不急の拡大にこそ多大なエネルギーを注ぎ、不要不急によって経済を維持しようとしている。この数年、日本の経済を支えているものは、インバウンド政策や観光業、各種のエンターテインメント、グルメなどであった。「不要不急」の代名詞のようになって名をはせたある種の「夜の街関連」への流れが止まっただけで、われわれの生活も命も大打撃を受けることとなった。

スロベニアの哲学者であるジジェクは、今回のコロナ騒動でひとつよかったことがあると述べている。それは、あの豪華客船のような猥雑《わいざつ》な船とはおさらばでき、ディズニーランドのような退屈なアミューズメントパークが大打撃を受けたことだ、といっている。

これほど物騒なことをいう気は私にはないし、「不要不急」が不必要だとは思わないが、彼の言い分を忖度すれば、「不要不急」にも様々あるということだろう。万事を市場の力に委ねて、利潤原理と経済成長への寄与でのみ評価してはならない、ということだ。ここには、本来、価値の選択がからんでくる、といいたいのであろう。

人はただ生存のためだけに生きるものではない。古代ローマ人は「パンとサーカス」といった。この社会には「パン」のみならず「サーカス」も必要なのである。生存に関わる生だけではなく、精神や身体の愉楽や刺激が必要であり、人々が集まって騒ぐことも必要なのだ。時には、禍々《まがまが》しいものも人は求める。謹厳実直・清廉潔白に生きるだけが人の生ではない。古代ローマ人は、巨大な闘技場を造って剣闘士と猛獣の戦いを見物していたのである。

「サーカス」は「生存」にとっては無駄なもの、過剰なものである。必要なものではない。だが、この過剰性こそが文化を生み出した。「パン」という必要が「経済」の基礎だとすれば、「サーカス」は「文化」の基礎であった。古代ローマ人は「サーカス」だけではなく、巨大都市を、建築を、美術を、文芸を、それに風呂や道路や水路などの公共建造物も生み出したのである。ここにその国に特有の価値観や文化が形成された。

人を動物から区別するのは、ただ生存のための食料の確保ではなく、「文化」という無駄なものを生み出し、そのために過剰なエネルギーを投入する点にこそある。だからこそ、過剰なエネルギーをどう使うかは、その国の文化にとってきわめて重要な事項となる。

にもかかわらず、今日、芸術も、科学も、エンターテインメントもすべて同じ経済原理のもとに置かれてしまった。「不要不急」と「必要」は地続きになってしまい、あらゆる種類の「文化」が「経済」に従属することになった。

「無限の欲望」と「希少な資源」の経済学

市場経済は、「不要不急」と「必要」を区別することなく、いっさいを「必要」とみなすほかない。なぜなら、人々の欲望は無限であり、資源は有限である限り、市場で提供されるものはすべて人々が求めるものだからである。そこに善いも悪いもない。欲望に対して資源は常に希少であり、それを言い換えれば、経済とは「希少性を処理する方法」ということになる。まさにそれが今日の経済学の考え方なのである。経済学とは、「希少性の処理」をめぐる研究であり、希少性のもとで人々の欲望の最大限化を論じるものとされる。

こうして、われわれは何かきわめて大事なものの見方を見失っていった。それは、「生存」の必要を超えた「過剰なもの」をどのように有効に使い、どう活用するかというような問題のたて方である。「過剰性の経済学」といってもよいであろう。「不要不急とは何か」、あるいは「何が不要不急なのか」という問いはきわめて重要なのである。生存の確保だけではなく、いかなる生、いかなる社会をわれわれは望ましいと考え、いかなる文化を残すかという価値をめぐる問いがそこにはある。

ところが、「過剰性の経済学」ではなく「希少性の経済学」の立場にたつと、日々の食料も、必要な住居も、巨大クルーズ船も、アミューズメントも、「夜の街関連」もすべてが、希少資源のもとでの欲望充足の次元で並べられ、利益や収益だけが関心の対象になる。

また同時に、「希少性の経済学」に従えば、人は、より大きな欲望の充足を求めて、経済を無限に成長させようとするだろう。世界中を歩き、あらゆる情報を手に入れ、常に誰とでもつながり、人間の能力を超えた未知の次元にまで足を踏み込もうとする。自由、富、情報、空間、人間能力の無限の拡張が始まる。「拡大」こそが現代のキーワードとなる。

かくて「無限の欲望」と「希少な資源」を前提とする限り、イノベーションと経済成長主義だけが唯一の解決策となるだろう。「必要」と「不要不急」の区別は見えなくなり、「必要」をはるかに超えて、ますます「過剰なもの（不要不急）」は生産され続け、人はそれを追い求め、経済を拡大する。

適当なサイズの「大事なもの」

だが今回のコロナ騒動は、はからずも「必要」と「不要不急」の区別を前景へと押し出した。確かに、この区別はあいまいである。だがそれでも、われわれは、何が必要で何が不要不急かを改めて問うた。人は最低限の「必要」だけで生きているわけではない。しかしまた、「不要不急」の無限の拡大は、人の生から本当に必要なものを奪い去りかねない。そしてわれわれは「必要なもの」と「不要なもの」の間に、実は、「大事なもの」があることを知った。

信頼できる人間関係、安心できる場所、地域の生活空間、なじみの店、医療や介護の体制、公共交通、大切な書物や音楽、安心できる街路、四季の風景、澄んだ大気、大切な思い出。

これらは市場で取引され、利潤原理で評価できるものではない。またいくら「不要不急」を市場で拡張し、経済を成長させても得られるものではない。むしろ過度な市場競争と経済の拡張がその障害になりかねないであろう。「必要」も「不要不急」も、この「大事なもの」によって支えられ、またそれを支えるべきものである。

生の充実には、活動の適当なサイズがある。われわれは、物事にはすべて適切な大きさや程度があり、無限の拡大がよいわけではない、という実に当然の考えを忘れてしまった。その結果、「大事なもの」を随分と失い、傷つけてきたのではなかろうか。

（2020年12月26日）

「魂」は今ここにある

死者に「寄り添いたい」という気持ち

東日本大震災から10年。一方で、現実の生活の上に目線をやれば、「復興」の2文字がその先に浮かび上がる。「復興」の現状についてはまだしも議論できよう。しかし、他方では、「復興」などという言葉ではとうてい表現しえない体験の記憶が、決して脱色されることもなく被災者のこころの内に巣くっているのであろう。

10年という時間の経過などまったく意味をもたない惨事のリアリティが、「時」の「間」という時間の経過を消滅させる。あの「体験」は、常に「今」という「時」にそのまま刺さり続けているであろう。そこに時の「間」というものが果たしてあるだろうか。

身内や知人の命を一瞬にして奪われた当事者のこころの傷は、被災者ではない者の安易な想像を受け付けるものではないとしても、それでも、他者のこころをも深く揺さぶる。津波によって子供が行方不明になった父親が60歳近くで潜水士の資格をとり、海中に潜るという映像をテレビでやっていたが、この父親の心境は共感してあまりあるものがあろう。

父親は、少しでも水にのまれた娘の近くにゆきたいと思い、また、その最後の気持ちにどこか寄り添いたいという思いがあるのだろう。そしてその心境に多くの人が共感するのは、何かある普遍的なこころの動きをそこに見るからであろう。近親者や親しい知人の突然で理不尽な死に直面したとき、確かに人はその「最後の気持ちに寄り添いたい」と思う。想像上とはいえ、その最後の状態に自らを運び、その気持ちに少しでも近づきたいと思うのであろう。

はるか彼方《かなた》南方の戦地で命を落とした者のために、戦後何十年たっても遺骨収集や追悼のためにでかける。海中に沈んだ者に向けては、その水面に向かって花束を投じる。もちろん、戦争でなくとも、こころならずも命を失った者に対して、われわれは、その終焉《しゅうえん》の場に出向き、静かに合掌する。「最後の気持ちに寄り添いたい」という思いが生き残った者の側にはある。

「死者の気持ちに寄り添いたい」というのは、むろん、生者の「こころ」の働きである。死者がそれに応えるわけではない。だから、冷たく言い放てば、「寄り添いたい」といっても、それは生者の身勝手な気分であって、エゴといえばエゴではないか、ということにもなろう。近代人の合理的な眼差しで見れば、それは、生き残ったという事実にまつわる自責を軽減するための生者の方便のように見えなくもない。楽観的な未来志向からすれば、「死者に寄り添う」より「復興に邁進《まいしん》する」方が重要だという事情もありうるだろう。

しかし、たとえば我が子を失い、愛する人を失った者の、「死者の気持ちに寄り添いたい」というほとんど理屈を超えた思いは、ただ生き残るための方便などというものでない。そこにはもっと切実な心的なリアリティがあるように思われる。

死者と生者はもちろん対等の立場にいるわけではなく、死者は発言できない。死者は姿も見えず、ただ沈黙を守るだけである。だから、死者と生者の交感は、生者による死者への一方的な問いかけであり、一方通行の心的な同化作用であるほかない。

にもかかわらず、自らの気持ちを死者に同化させ、寄り添うことを可能とする「何か」がそこにあるとつい考えたくなるし、現に人々はそう考えてきた。それを人は「魂」と呼んだのだ。姿も形も見えず、声も聞こえず、触れることもできず、普通の意味では存在するとはいえないもの、しかし、その姿も声もまだ生者の目や耳に焼き付いており、その感触も消え去らないものとの同化は「魂」の交感というほかなかったのだろう。

東日本大震災の後に、被災地で多くの不可思議な霊的現象が経験されたことをジャーナリストの奥野修司氏が報告しているが、その本のタイトルは『魂でもいいから、そばにいて』となっている。そして「魂」を近くに感じることで、死者との霊的体験をした多くの人が、何らかの安堵《あんど》を覚えたようである。

今ここで私は「魂」の有無や、死後世界などということを論じているのではない。ただ、

「魂」という言葉や観念を生み出すことで死者と生者の交感の装置を編み出した我が国の文化の一断面について論じてみたいのである。

精神の自浄作用を失った戦後社会

柳田國男は、終戦直前に書かれた『先祖の話』において、死者は、肉体は消滅しても魂となって、多くの場合は山に入り、一定の期間をへてその家の先祖の霊と一体化するという。そのような信仰がかつて日本にはあった、という。

家、先祖、死後、霊魂を一体化する柳田説には批判もあり、そのまま鵜《う》呑《の》みにすることはできないとしても（たとえば、家の確立は武家政権以後なので、これが日本の古来の死生観とはいえないであろう）、死者の魂は祖霊となって現世に定期的に戻ってくるという観念は、少し前の時代までは自然に信じられていた。

あるいは、江戸時代の国学者である平田篤胤《あつたね》のように、死後、霊魂は、どこかはるかな他界へ消えゆくのではなく、この世にとどまって、われわれのすぐそばにいる、というような観念もあった。われわれが生きているこの「顕界《げんかい》」の背後にもうひとつ死者の「幽冥界」がある、というのである。

死者の霊が、祖霊となってわれわれのもとにやってくるのか、あるいはわれわれのすぐそばにある「幽冥界」からわれわれを見ているのか、それは別にして、ここには、独特の死者と生者の交感がある。死者と別れがたい生者は、死者を忘却の彼方におしやったり、まったくの無に帰してしまうことをよしとせず、どこかでわれわれを見守っている、と考えた。だからこそまた、生者は一方で追善供養によって死者を弔うとともに、他方では死者に対して恥ずべき行いを自戒する、というような倫理観も生み出された。

それがユダヤ・キリスト教のように、現世を超越した絶対神を信仰の基盤とする文化とは異なった点である。魂がこの世を超越した神のもとへ向かうのではなく、現世に接した場所にあって、われわれと共存している、という観念が我が国にはある。仏教学者の鈴木大拙《だいせつ》の言葉を借りてくれば、それは日本的な「霊性」のあり方ということになろう。

ところで柳田は、終戦を想定して『先祖の話』を書き記した。家の観念が弱体化し、祖先の観念も祖霊の想念も消え去る前にそれを記憶に残そうとしたのである。柳田からすれば、祖霊の観念の消滅は、死者と生者との交感の回路を断ち切ることになる。そのとき、生者は死者との対話の道筋を失い、死者の前にあって自らを省みるという精神の自浄作用を見失うであろう。道徳が何らかの権威を必要とするなら、われわれは道徳の基盤を失うであろう。

もう少し一般的にいえば、何らかの意味での「霊性」への傾斜を失ったとき、われわれは自らを律する道徳の内面的な根拠を失うのではなかろうか。死者の思いを継ぎその上に道徳観を形成する、といった観念には、思いを残していった死者を前にした生者の責任があった。

さて、それでは、戦後の日本では、このような観念はどうなったのだろうか。戦後とは、それこそ強い思いを残して散っていったおびただしい死者の上に成り立った時代である。そして、われわれは戦争の死者の思いを引き継ぐなどとしばしば口にする。

だが、そこにはもはや死者の「魂」もなければ「祖霊」もない。つまり、霊性などどこにもないのである。戦後社会は、少なくとも、公式的な言説の上では、霊性などという非合理なものを拒否した。霊性の住処《すみか》を放逐した社会が「死者の思いを引き継ぐ」といっても、ほとんど宙に浮いた空疎な言葉にしかならないのも当然であろう。

死者への畏れと惜別と無念さを見失ったとき、自己を省みるという道徳の内面的契機も喪失する。死者を切り捨てた生者だけの共同体は、利益や快楽にのみ生の充足を見る個人の集合体にしかならないであろう。

死者の前にこうべを垂れる

米国の文化人類学者ルース・ベネディクトは『菊と刀』において、「罪の文化」と「恥の文化」という有名な対比を行った。絶対神をいただく西洋文化は、神の前にあって、自らの罪を己に問う倫理的な個人を生み出した。これに対して、絶対神をもたない日本では、倫理の基準は個人の外にある、という。この立論の上にたって、しばしば、世間に対する恥という集団的な「世間体」が日本人の道徳観を特徴づけているといわれる。

だが、これはせいぜい半面の真理に過ぎない。「神の前にひざまずく」わけではないが、「死者の前にこうべを垂れる」という精神の規律が日本にはあったはずである。柳田が「家」を重視したのは、先祖が、死者として感情移入しやすい具体者であったからであろう。それは、あくまで「家」という「私的な世界」の死者なのである。もちろん、先祖をたどれば、とんでもない悪党も犯罪人もいたであろう。だとしても、悪党にも一分の真理は宿り、「魂」が浄化すれば、霊は清浄なものとなる、とされたのであろう。

「魂」を媒介にした死者と生者の交感という観念を排除した戦後社会が、「世間に対する恥」だけを道徳の基準にすれば、世間が目前の利益と快楽に耽溺《たんでき》するにつれ、それに合わせればよいということになる。われわれは、戦後70年ほど、そんな道行きをたどってきたのである。

そこに東日本大震災が起きた。大拙は、平安末期から鎌倉時代へかけての争乱、疫病、大災害の襲いくる末法の時代に、初めて日本人は「霊性」に目覚めた、という。私には、10年前の大災害の教訓は、改めてわれわれの「霊性」を思い起こす契機になると思われる。死者への配慮を失い、死生観をまったく失った社会など本当はどこにも存在しないだろうからである。

（2021年3月27日）

「対コロナ戦争」か「コロナ対策」か

欧米のロックダウン、日本の自粛要請

新型コロナ騒動もようやく先が見えてきたようである。変異株が気になるところだが、ワクチンが行き渡れば状況がかなり改善されることは間違いなさそうだ。

この1年半、私の印象に残ったことのひとつは、この事態に対する日本と欧米の反応の相違であった。都市のロックダウンや違反者への制裁なども含む強力な措置をとった欧米に対して、日本の「自粛要請」はかなり際立った対照を示していた。専門家の見解を聞き、世論に配慮し、経済界の意向を確かめ、国会で野党と論議をし、その上で「緊急事態宣言」を出す、というのが日本政府の対応である。しかもほぼ強制力を伴わない自粛の要請である。

欧米の強力な措置からすれば、何とも中途半端で煮え切らない対応である。したがって、いくらでも政府批判はでてくる。一方では、政府はもっと強力な措置をとるべきだという批判がでる。他方では、政府は過剰な対応で経済を潰すのかという批判もでてくる。

通常の場合には、政府の強権を批判し、個人の権利を強く唱える野党や多くのメディアが、今回のような「緊急の状態」を前にして、政府の「中途半端さ」を批判し、断固たる態度をとれと訴える。では、欧米のような強力な私権制限の権力を政府に与えるべきだというのかと思えば、そうではない。有効な対案はでてこない。私はあまり政治的な色分けは好まないが、便宜的にいえば、いわゆる「リベラル系」の政府批判にこの傾向を強く感じた。

いうまでもなく、「自粛要請」という何とも中途半端な対応こそが日本の特質であり、日本の場合、法的にもそれ以上はまずできない。欧米とは違うのである。どちらがよいというのではない。欧米がうまくいっているというわけでもない。ただ、何が違うのかが気にはなる。私は、「国家」への意識の違いをそこに感じた。それを「市民」と「国家」の関係といってもよいが、その視点から日本と欧米の相違を少し論じてみたい。

生命・財産を共同で防衛するのが国家

欧米ではこのコロナ騒動に関して、しばしば「コロナとの戦い」あるいは「対コロナ戦争」という言い方がなされた。感染症は、彼らの生命や財産を脅かす「悪」であり、コロナ対策とは「悪」との戦争であった。これは幾分《いくぶん》かはレトリックであるとしても、この言い方を延長すれば、コロナ禍の状況とは一種の「戦争状態」ということになる。「コロナ対策」などという生易しいものではない。

この「戦争」における欧米の対応はふたつであった。ひとつは、先にも述べたように、都市封鎖など政府による強力な私権制限であり、大多数の国はこの方式を採用した。これは、確かに個人の生命を守るためであるが、ただそれだけではない。ひとつの共同体としての国家を守るという意味もあった。「戦争」とは、個人の生命・財産をめぐる問題ではなく、第一義的に、ひとつの共同体の存立に関わる危機だからである。もう少し正確にいえば、個人の生命・財産といえども、それをひとつの社会において共同で防御するのが国家なのである。だから、国家の基本的な役割は、個人の生命・財産の安全確保にあるが、あくまでそれを「共同のもの」として守る、つまり、「社会の安全確保」にある。こうした意識が欧米には強い。

だから、新型コロナに対するもうひとつの対応も、あくまでこの視点から見る必要があろう。それは、スウェーデン方式というべき、一種の自由放任主義である。スウェーデンでは、政府の役割は最低限に限定され、ほとんど私権の制限もなく個人の自由がそのまま維持された。これを、スウェーデンにおける個人の権利意識の強靭《きょうじん》さなどと解釈するのは一面的であろう。スウェーデン方式とは、個人の生命の多少の犠牲を覚悟してでも、できるだけ速やかに集団免疫を獲得し、社会全体を安定化するという趣旨である。

ここでも第一義的には社会の安全確保が国家の役割となっている。われわれの「自粛要請」

の穏やかさからすれば、恐るべき方法に見える。だが、基本にある思想はほかの欧米諸国と同様、国家の役割とは、人々の生命・財産の、いわば「共同の防衛」にあった。

こういうところに、欧米の国家観もしくは「国家」と「市民」の関係が典型的に示されているように思われる。たとえば、西洋近代社会の思想的基礎を与えたとされ、日本でも一時期は戦後民主主義のバイブルのようにもみなされたルソーの『社会契約論』を見てみよう。彼はいう。自然状態では、人々は様々な意味で生命の危機にさらされる。そこで、ある契約を行って自らの生命を共同で防衛すべく社会を作った。それは、個人の自由がより高度の次元で実現できるような契約社会である。

ということは、この社会が何らかの脅威にさらされた場合、人々は、自らの生命・財産をこの社会にすべて委ねて社会の共同防衛にあたらなければならない。ここに政治共同体としての国家が作られるが、国家とは、まずは生命や財産を共同で防衛する共同体なのである。

国家の危機に市民はどう振る舞うか

ルソーの『社会契約論』は西洋思想のなかでも特異なものであり、歴史的にこのような契約などどこにもなかったが、それでもこの思想は、西洋における「国家」と「市民」の関係を典型的に示す論理となっている。市民は私的な権利をもつ。そのことは法的にも保障される。しかしその法を確保するために人々は共同で国家を作り出した。つまり政治的共同体を創出し、自らをそこに投げ入れた。したがって市民と国家の関係は二重になっている。

一方で、市民の私的権利は国家の干渉から守られなければならない。しかし他方で、この国家（共同社会）の秩序が危機にさらされたときには、市民は最大限の公共精神を発揮して国家のために役立たなければならない。だからルソーは、「統治者が市民に向かって、『お前の死ぬことが国家に役立つのだ』というとき、市民は死なねばならない」などという恐ろしいことを平然と述べている。

そしてここから次のことがでてくるだろう。国家社会が安定している平時には、当然、個人の権利は保護される。しかしひとたび国家社会に危機が押し寄せてきたときには個人の権利は制限されうる。国家が崩壊しては、個人の権利も自由もないからである。

だから危機を回避し、共同体がもとの秩序を回復するために、強力な権力が国家指導者に付与される。その限りで、指導者は一種の独裁者となるが、その独裁は、危機状態における一時的なものであり、かつ主権者である人民の意思と利益を代表するものでなければならない。

実際、ワイマール期からナチス成立へ至る時期に、ドイツの法哲学者カール・シュミットが唱えた「政治的なるもの」こそがそれであった。

通常状態では、憲法も議会政治も政党制も維持される。彼のいう「政治」は必要ない。「政治」とは危機における決断なのである。しかし、戦争のような国家の危機という「例外状態」にあっては、部分的には憲法の条項を停止した独裁（委任独裁）が必要となる、というのである。

これが、西洋の国家観を形作っている、少なくともひとつの根源的な意識といってよいだろう。そこでそれを少し一般化して次のようにいうことも可能であろう。

人間は、もともと常に生命の危機にさらされてきた。自然災害、感染症、飢え、それに生存をめぐる人間同士の争い。これらはすべて「自然」に属する。したがって、「自然」がもたらす脅威を克服し、生命の安全を確保するために人間は社会を作り、それを政治的組織である国家にまで仕立てあげた。古代ギリシャで、人々が共同して暮らすポリス（都市）とはまた政治共同体としての国家である。

ということは、国家とは、何よりもまず、自然や他者からの脅威に対する共同防衛の企てなのであり、社会の秩序を維持するための装置なのである。したがって、都市民は、また国家を支える徳をもった市民として、公共の事柄に関与しなければならない。こういう意識が西洋の政治思想の底を流れている。しばしば「共和主義の精神」と呼ばれるものである。

良識頼みの自粛要請でいけるのか

先に、私は、日本の「自粛要請」と欧米の「国家の強権」を対比したが、この「対比」の背後にある違いを見据えることは大事なことだと思う。善かれ悪《あ》しかれ、日本には、西洋の歴史伝統が生み出した国家意識はない。それはまた市民意識の欠落をも意味している。人間に脅威を与える「自然」との対決において「国家」という政治共同体を理解するような考えは日本にはまずない。

国家という政治共同体は、日本ではほとんど自生的に生まれ、いつもそこにあるもので、それが「自然」との対決で作り出されたという意識はほとんどない。「自然」との対決とは西洋流にいえば「戦争」である。自然災害も、感染症も、他国の侵略も共同社会への脅威であり、それは「戦争」なのである。

今回、アメリカではワクチン開発はきわめて早かったが、その理由の一端は、２００１年の同時多発テロ以来、細菌やウイルス攻撃に対する防御を課題としていたからであり、実際、今回のワクチン政策も、保健福祉省と並んで国防総省が関与しているのである。

欧米では「戦争」は常にそこにあるからこそ、シュミットのような、例外状態での独裁という議論もでてくる。幸か不幸か、日本ではこのような共同社会を守る「戦い」という意識は低い。特に感染症や自然災害においてはそうである。しかし、現代の世界では、国家の危機という「例外状態」は徐々に常態化しつつある。

こうなると、われわれは、「自粛要請」型でゆくのか、それとも、西洋型の強力な国家観をとるのか、重要な岐路にたたされることになるだろう。「自粛型」とは市民の良識に頼るということであるが、果たしてそれだけの良識がわれわれにあるのだろうか。どうせ国が何とかしてくれると高をくくりつつ、ただ政府の煮え切らなさを批判するという姿勢に良識があるとは思えないのである。

（2021年6月26日）

かくも危ない国民主権

大衆世論の危険を察知していた福澤

かつて福澤諭吉は『文明論之概略』のなかで次のようなことを書いていた。近年の日本政府は十分な成果をあげていない。政府の役人も行政府の中心人物もきわめて優秀なのに政府は成果をあげられない。その原因はどこにあるのか。その理由は、政府は「多勢」の「衆論」、つまり大衆世論に従うほかないからだ。ある政策がまずいとわかっていても世論に従うほかない。役人もすぐに衆論に追従してしまう。衆論がどのように形成されるのかはよくわからないが、衆論の向かうところ天下に敵なしであり、それは一国の政策を左右する力をもっている。だから、行政がうまくいかないのは、政府の役人の罪というより衆論の罪であり、まず衆論の非を正すことこそが天下の急務である、と。

さらに次のようにもいっている。衆論の非を多少なりとも正すことのできるのは学者であるが、今日の学者はその本分を忘れて世間を走り回り、役人に利用されて目前の利害にばかり関心を寄せ、品格を失っているものもいる。学者たるもの、目前の問題よりも、将来を見通せる大きな文明論にたって衆論の方向を改めさせるべきである。政府を批判するよりも、衆論の非を改める方が大事である。

書かれたのは１８７５（明治８）年だが、このような一節を読むと、１５０年ほどの年月を一気に飛び越してしまうような気にもなる。ここで福澤のいう「学者」を広い意味での知識人層、つまりマスメディア、ジャーナリズム、評論家まで含めて理解すれば、今日の知識人層にも耳の痛い話であろう。まだ民主主義などというものが明確な姿を現していない近代日本の端緒にあって、福澤は、多数を恃《たの》んで政治に影響を与える大衆世論のもつ力とその危険を十分に察知していたわけである。

国民主権は民主主義の根本原理なのか

さて、本稿執筆中の日本は、自民党の党首選の真っ最中であった。一政党の党首選ではあるものの、ここでも世論が重要な役割を果たしている。候補者の国民的な支持率や人気度が間断なくメディアで報じられ、暗黙のうちに世論が選挙へ影響をおよぼしている。

少なくとも総選挙後の国会召集時までは、自民党の党首は日本国首相となるのだから、確かに、国民世論が一政党の党首選に影響を与えることにも一理はあろう。また、候補者たちも自民党党員たちも明らかに世論を気にし、メディアの報道に関心を払っている。

しかしそうであれば、ここにはある前提が暗黙裡に存在することになろう。一国の首相は、国民世論の大きな支持を受けて選出されるべきだ、という想定がそれだ。そのことを正面から批判するものはまずいない。なぜなら、一国の最高責任者は主権者である国民によって選出されるべきであり、それこそが民主主義の基本原理だとみなされているからだ。

私は、「民主主義の根本原理は国民主権にあり」というこの疑い得ない命題に対して、ずっとある疑いの念をもってきた。いやもう少し正確に述べれば、この根本原則の解釈の仕方についてである。

きわめて単純な事実から述べれば、今日の多くの国で採用されている議院内閣制は、すでにこの民主主義の原則から逸脱している。国民が選出するのは議会の議員と政党である。議会では多数政党の党首が通常は首相となる。これは大統領のような、直接選挙による選出とは一線を画している。代表を選ぶにせよ、政策を決定するにせよ、議会（したがって議員）が決定的な役割を担うのである。

念のためにいっておけば、この面倒な間接的方式は、もともと「民主主義の原則からの逸脱」というよりも、「民主主義の暴走への歯止め」とみなされてきた。この場合の「民主主義の暴走」とは、国民世論にしばしば見られる情緒的な動揺や、過度に短期的で短絡的な反応によって政治が翻弄《ほんろう》されることである。

端的にいえば、世論は、安定した常識に支えられた「パブリック・オピニオン」であることはまれで、しばしば、その時々の情緒や社会の雰囲気（つまり「空気」）に左右される「マス・センチメント」へと流されるのである。そして、この不安定な「世論」が国民の意思つまり「民意」とみなされ、その結果、民主主義は世論による政治ということになる。

議院内閣制とは、まさにこの意味での国民主権の民主主義を部分的に抑制しようとするものであった。たとえば、英国人にとって英国の政治体制は何かと問えば、主権者は王であり、政治体制は議会主義だと答えるであろう。議会での討論こそが決定的な意味をもっており、民主主義はせいぜい選挙制度のうちに組み込まれている程度である。

絶対主義でも民主主義でも「主権」は危険

近年の英国の風潮も多少変化してきているとしても、君主制と議会主義への強いこだわりは、「国民主権としての民主主義」への警戒感に発するものであった。これが、世界でもっとも早く近代的政治体制を作り上げた国なのである。大衆世論の一時的な情緒やある種の扇動によって政治が動揺することを防ぐというわけである。

ついでにいえば、米国の場合には、事実上の直接民主主義である大統領制と間接民主主義である議会制に分割され、さらに議会は上院、下院に分割され、また政府も連邦政府と州政府に分割されている。分割されるものは何かといえば「権力」である。分割された権力が拮抗《きっこう》しあい、均衡を保つのが、本来の米国の政治体制である。

このことは、国民主権という観念に対していささかの疑念をもたせるに十分であろう。というのも、「主権」とは、絶対的な権力にほかならないからである。君主主権とは君主が絶対的権力をもつ政治である。これはわかりやすい。

では国民主権とは何であろうか。「国民」が絶対的権力をもつ政治である。では「国民」とは何か。こうなると話はややこしくなる。「国民」という実体はどこにも存在しないからだ。それは、実際には、多様な利益集団であり、様々な思想やイデオロギーの寄せ集めであり、知識も関心も生活もまったく違った人々の集合体に過ぎない。そこでやむを得ず「世論」なるものを「国民の意思」とみなすことにしたとしても、問題は、それに絶対的な権力を付与した点にある。「主権」という概念が問題なのである。

もちろん、政治思想史の文脈に立ち返れば、国民主権は、絶対主義体制を打ち壊し、政府の正統性の源泉を国民に求めるものであった。ここには、たとえばフランス革命の歴史的経緯があり、また一定の思想的意味もあった。

しかし、今日、われわれはひとつひとつの政策の妥当性まで「世論」の法廷に引きずりだし、ほとんど1カ月ごとに内閣の妥当性を「世論」の評価にかける。ところがその世論はしばしば「空気」によって左右される。それが「主権」の表明だとすれば、主権とは何とも移りやすく危なっかしいものというほかない。絶対主義の主権が危なっかしいのであれば、国民の主権もまた危ういものなのである。

にもかかわらず、「国民主権の民主主義」は、この危なっかしい主権にその全体重をかけており、主権は絶対的なので、その正統性について誰も異を唱えることができない。私には、絶対主義的な主権にせよ、民主主義的な主権にせよ、「主権」概念こそが、とてつもない危険なものを内包しているように思われる。

「手続きとしての民主主義」で十分

では「国民主権としての民主主義」とは異なった民主主義の理解はありえないのだろうか。ありうる。というより、実にシンプルなもので、それはあくまで政治的意思決定のプロセスとして民主主義を理解することだ。「手続きとしての民主主義」である。論議を尽くした上での投票による意思決定という手続きである。

そしてある程度有意味な議論が可能となるためには、限定された代表者による集会が不可欠になろう。これが議会主義であり、代表者を選ぶのが普通選挙であって、この手続き全体の妥当性が民主主義と呼ばれるものなのである。

議会主義にせよ、議院内閣制にせよ、こういう発想に基づくものであった。したがって、議院内閣制は、あくまで、民意や世論という「主権」からは距離をとるものであり、そこにこそ、「手続きとしての民主主義」の意味がある。

デモクラシー、つまり「民衆（デモス）の支配（クラティア）」は日本では「民主主義」と訳され、「主義」としての思想的な意義を与えられてきた。それは、ひとつの理念であり理想を実現する運動であった。この運動の目指すところは「民意の実現」にあった。だから、政治がうまくいかないのは、政治が民意を無視しているからだ、ということになる。言い換えれば、民意を実現しさえすれば政治はうまくゆく、という。こういう理解がいつのまにか定着してしまった。

私にはとてもそうだとは思えない。今日の政治の混迷は、将来へ向けた日本の方向がまったく見えないからである。将来像についてのある程度の共通了解が国民の間にあればよいが、それがまったく失われている。しかもそれは、どうやら日本だけのことではない。グローバリズム、経済成長主義、覇権安定による国際秩序、経済と環境の両立、リベラルな正義などといった従来の価値観や方法が、世界中でもはや信頼を失っている。

むろんそんな大問題について「民意」がそれなりの答えをだせるはずもない。だから目先の、被害者や加害者がわかりやすい、しかも「民意」がすぐに反応しやすい論点へと政治は流されてゆく。

　福澤流にいえば、将来を見渡せる大きな文明論が必要なのであり、それを行うのは学者、すなわちジャーナリズムも含めた知識人層の課題であろう。福澤は、この知識人層が大衆世論（社会の空気）に迎合していることを強く難じた。

　知識人層は、民意の動きを読み、同調するのではなく、逆にそれに抗しつつ、それを動かしてゆくものだ、というのである。１５０年前の福澤の主張は、今日ますます新たな意味をもっているのではなかろうか。

（２０２１年９月25日）

資本主義の臨界点

マルクス主義の復権か

「資本主義」が近年の論壇をにぎわしている。若きマルクス研究者の斎藤幸平氏の『人新世《ひとしんせい》の「資本論」』がベストセラーになったこともあろう。ついに、というべきか、はてさて、というべきか、岸田文雄首相の所信表明演説にまで「資本主義」が堂々と登場することとなった。自民党選出の首相が国会の場で「資本主義」の語を連発するという事態を誰が想像しただろうか。未来社会を切り拓《ひら》く「新しい資本主義」を模索するという。

半世紀ほど前の１９７０年前後、マルクス主義の影響もあり「資本主義」は徹底してマイナス価値を付与された言葉であった。ほとんど悪の象徴のようなものである。当時、社会主義へのシンパシーを公言するマルクス主義者は、「資本主義」の語を否定的な意味で喜々として使用していた。私も、大学の経済学部を選択した理由は、果たして資本主義は安泰かどうかを知りたかったからである。マルクスの予言の妥当性に見通しをつけたかったのである。

私自身は比較的早くマルクスから離れた。その経済理論はまったく間違ったものだとしか思えなかったし、その歴史観もあまりに独断的に思われたからである。しかし、かといって資本主義体制を万全だと考えたわけではない。資本主義が、その内に大きな矛盾をはらんだ不安定な体制である、というマルクスの直観まで否定する気にはならなかった。いや、この経済構造の不安定性は、別にマルクス主義の知的特産物というわけではなく、市場経済の理論分析からも論じることはできた。

とはいえ、アメリカを聖地とする大方の市場擁護派は、冷戦のさなか、社会主義へと直結するマルクス主義を強力な論敵とみなしていた。したがって、オーソドックスな経済学では「資本主義」の語はまず使われない。もっぱら「市場経済」の用語が使われる。「資本主義」の語が肯定的な意味を帯びるようになったのは、90年前後の冷戦終結あたりからである。

資本主義と市場経済は違う

だが、そもそも資本主義とはいったい何なのか。首相のいう成長を可能とする「新しい資本主義」というものがありうるのだろうか。

「資本」つまり「キャピタル」とは「頭金」である。それは「キャップ（帽子）」や「キャプテン（首長）」という類似語が暗示するように、「先導するもの」である。未知の領域を切り拓き新たな世界を生み出す先導者であり、そのために投下されるのが「頭金」としての「資本」である。資本は、未知の領域の開拓によって利益を生み出し、自らを増殖させる。したがって、さしあたり「資本主義」とは、何らかの経済活動への資本の投下を通じて自らを増殖させる運動ということになろう。

ただこの場合に重要なことだが、資本が利潤をあげるためには資本はいったん商品となり、その商品が売れなければならない。言い換えれば、そこに新たな市場が形成され、新たな商品を求める者がいなければならない。こうして、資本主義が成り立つためには常に新商品が提供され、新たな市場ができ、新たな需要が生み出されなければならない。人々が、たえず新奇なものへと欲望を膨らませなければならない。端的にいえば、経済活動の「フロンティア」の拡大が必要となるのであり、このときに経済成長がもたらされる。

この点で、「資本主義」は「市場経済」とは違っていることに注意しておきたい。「市場経済」はいくら競争条件を整備しても、それだけでは経済成長をもたらさない。経済成長を生み出すものは「資本主義」であり、経済活動の新たな「フロンティア」の開拓なのである。そして「市場経済」分析を中心とする通常の経済学は、基本的に「資本主義の無限拡張運動」にはまったく関心を払わない。

その意味でいえば、岸田首相の「資本主義」論は興味深いもので、経済成長を強く意識していることになろう。従来、日本では構造改革にせよ、新自由主義にせよ、市場原理主義にせよ、あくまで「市場経済」を問題にしてきたのであり、岸田氏の「資本主義」論はそれとは次元を異にしているのだ。

フロンティアの拡大なしでは成り立たない

大雑把に歴史を振り返ってみよう。資本主義がヨーロッパで急激に活性化した発端には15世紀の地理上の発見があった。一気に地球的規模で空間のフロンティアが拡張した。新大陸やアジアを包摂する新たな空間の拡張は、歴史上最初のグローバリズムであり、ヨーロッパに巨大な富をもたらした。この富によって19世紀に開花するイギリスの産業革命は、驚くべき勢いで技術のフロンティアを開拓し、帝国主義時代をへて20世紀ともなると、アメリカにおいてあらゆる商品の大量生産方式へとゆきついた。そしてこの大量生産を支えたものは、膨大な中間層をになう大衆の旺盛な消費であった。

つまり、外へ向けた空間的フロンティアの開拓（西部開拓のアメリカや帝国主義のヨーロッパ）の次に、20世紀の大衆の欲望フロンティアの時代がやってきた。戦後の先進国の高い経済成長を可能としたものは、技術革新や広告産業が大衆の欲望を刺激し続けることで、工業製品の大量生産・大量消費を生み出した点にある。

ところが、高度な工業化による大量生産・大量消費による経済成長は、先進国では１９７０年代には頂点に達する。そこでその後に出現した「成長戦略」は何かといえば、80年代以降のグローバル化、金融経済への移行、それに90年代の情報化（ＩＴ革命）であった。先進国は、グローバル化で発展途上国に新たな市場を求め、新たな金融商品や金融取引に利潤機会を求め、ＩＴという新技術にフロンティアを求めた。そして、その結果はどうなったのか。

それらは、ほとんど先進国に富も利益ももたらさなくなりつつある。グローバル化は中国を急成長させたが、米欧日などの先進国は、成長率の鈍化、格差の拡大、中間層の没落などに悩まされる。モノの生産から金融経済への移行は、金融市場の不安定化と資産の格差を生み出した。情報革命は一握りの情報関連企業に巨額の利益を集中させた。いわゆるＧＡＦＡ問題である。明らかに新たなフロンティアは限界に達しつつある。

ゆきつく先は国家主導の新重商主義

今日、先進国は、一方では、格差問題の解消へ向けた所得再分配に舵《かじ》をきるといい、他方では、改めて新興国の市場を取り込むグローバル化と、デジタル技術の革新に活路を求めている。結局「グローバリズム」と「イノベーション（技術革新）」を成長に結びつけ、その成果をもって格差を是正しようというのである。

では「グローバリズム」と「イノベーション」は成長を可能とするのだろうか。話はそれほど簡単ではない。グローバリズムは、今日、国益をめぐる国家間の激しい競争へとゆきついた。成長戦略や経済安全保障を政策に組み込んで国益を積極的に実現することが国家の責務となった。自由な市場競争どころではない。新重商主義とでもいうべき国家主導の経済戦略なのである。

また、イノベーションが経済成長を実現するなどと気楽に構えるわけにはいかない。今日のイノベーションは確かに一企業の生産効率を高め、労働コストを低下させることは事実であろう。しかしそれが意味するのは、勤労者の所得の低下である。少なくとも総所得が上昇するとは考えにくい。ということは、総消費は増加せず、GDP（国内総生産）の増加はさして見込めないであろう。

かくて、AIやロボットや自動運転装置等のイノベーションは目覚ましく、確かにわれわれの生活を変えるであろうが、だからといってそれが経済成長につながるという保証はどこにもない。新技術が大衆の欲望フロンティアを開拓して大量生産・大量消費の好循環を生み出した高度成長の60年代とはまったく異なっている。

とすれば、空間、技術、欲望のフロンティアを拡張して成長を生み出してきた「資本主義」は臨界点に近づいているといわざるを得ない。「分配」と「成長」を実現する「新しい資本主義」も実現困難といわざるを得ないだろう。

近代人の欲望こそ問題の本質

問題はどこにあるのだろうか。「資本主義」が間違っているのだろうか。岸田首相の政策論が誤っているのだろうか。そうではない。問題は、昨日よりも今日の方が豊かであり、明日はさらに豊かでなければならない、というわれわれ自身の意識にこそあるのではないか。政策を難じるより前に、科学や市場や政治の力によって、より多くの富を、より多くの自由を、より長い寿命を、より多くの快楽を求めるという近代人の欲望の方こそ問題の本質ではなかろうか。

近代社会とは、人間が、己の活動や欲望について無限の拡張を求める社会であった。科学や技術によって自然を支配し、それを自らの自由や欲望の拡張に向けて改変する時代であった。そこに無限の進歩があるとみなした。資本主義は、近代人のこの進歩への渇望に実にうまく適合したのである。

そして今日われわれは、人間の外部に横たわる自然を改変するだけではこと足りず、ＡＩや遺伝子工学、生命科学、脳科学等によって、われわれ自身を改変しようとしている。これらの新しいテクノロジーによっていっそうの自由や富や寿命を手に入れようとしている。本来的に有限で、いわば「死すべきもの」である人間が、無限で「永遠なるもの」へと接近しようとしているようにも見える。人間が人間という「分限」を超え出ようとしている。近代の欲望は、まだ「有限性」のなかにあって少しずつフロンティアを拡張するものであった。だが最近の技術は、それさえも超え出てしまったのではなかろうか。

　皮肉なことに、人間の「有限性」を突破しかねない今日の技術のフロンティアにあって、先進国は経済成長の限界に突き当たっている。われわれはようやく「資本の無限の拡張」に疑いの目を向けつつある。とすれば、われわれに突き付けられた問題は、資本主義の限界というより、富と自由の無限の拡張を求め続けた近代人の果てしない欲望の方にあるのだろう。

（２０２１年12月26日）

第4章 「民意」亡国論

民意という亡霊がうろついている

「ヨーロッパをひとつの亡霊がうろついている、共産主義という亡霊が」というよく知られたマルクスの言葉にならえば、今日、「日本をひとつの亡霊がうろついている、民意という亡霊が」といってもさしつかえなかろう。もちろん、マルクスとはまったく違った意味である。亡霊がやがて世界を支配することを期待したマルクスとは逆に、今日、われわれにとりついている亡霊は、われわれを破滅へと導くものかもしれない。

ここで亡霊という比喩が多少意味をもつのは、それが、実体でもないが、かといってまったくの幻覚でもない、という点にあろう。確かな存在でもないが、まったく存在しないというわけでもない。有と無の間を揺れ動く、この不確かであやふやなものがわれわれの社会に憑依（ハウント）している。憑依されたものは、「ミンイ、ミンイ」と騒ぐが、それが何を意味しているのかは誰もわからない。「ミンイ」では言葉の重みにかけるので、「国民の意思」と政治学風に言い換えても事態は変わらない。

にもかかわらず、新聞、テレビ等のマスメディアを通して、連日、この言葉によって視覚聴覚を刺激されておれば、いつのまにか、「民意」やら「国民の意思」なるものが本当に臨在しているかのように思われてくる。姿形をもたない不確かなものを、あたかもそこにあるかのように捉えること、すなわち評論家の山本七平のいう「臨在感的把握」が生み出される。「亡霊」というより「言霊《ことだま》」とでもいうべきであろう。「民意」や「国民の意思」という言葉が、何かある価値をもってひとつの規範となる。言葉の「霊」がわれわれを支配する。「言霊的臨在」である。

それが、この21世紀の、かつてない科学やデータの時代、両方合わせてデータ・サイエンス万能の時代にあっても、決定的な役割を果たしている。脳科学がすべてを解明できるかのように喧伝される時代に、「言霊」がわれわれの脳を占領するという不可思議な霊的憑依が生じているのだ。

もちろん、言霊的憑依現象は「民意」だけではない。今日、次々と新手のミニ言霊が浮かびあらわれる。「多様性」「ＬＧＢＴ」「データ」「実証」「可視化」「説明責任」「ＳＤＧｓ」「クリーンエネルギー」「脱炭素化」「改革」、それに依然として「経済成長」。少し前までは、「平和」「平等」「民主」「人権」が圧倒的に憑依能力をもっていた。その意味するものが不透明であるがゆえに、引用者の都合のよいように解釈され、一定の気分を伴って社会の空気を支配する。

ここで私が論じてみたいのは、もっぱら「民意」、つまり「国民の意思」である。この、有るとはいえないが、無いともいえない「憑依的存在（憑在）」が、どれほどデモクラシーと呼ばれる今日の政治を不安定化しているかが私には気になるからだ。

「民意」の便利使いをするメディア

一例をあげれば、２０２1年10月末の総選挙で、自民党も立憲民主党も議席を減らした。そこでたとえば朝日新聞は社説で次のようなことを書いていた。「甘利幹事長の小選挙区での落選は、自民一強体制への批判という民意の表明である」と。また、毎日新聞の論説には次のようにある。「与党も野党も決定的に勝たせない、というのが民意である」と。

どう見ても恣意的というほかない。「民意」の便利使いである。自民党も立憲民主党も確かに議席は減らしたものの、その意味はまったく違っていた。共産党との共闘を企図した立民は、明らかに敗北した。自民の議席減は、前回選挙での野党の大混乱に起因する地滑り的勝利から通常水準に戻っただけで、それでも２６１議席の絶対安定多数を確保した。これは十分に勝利である。しかも小選挙区の当落は、この選挙制度と選挙戦略によるところが大きい。にもかかわらず、どうして「民意」を持ち出したいのだろうか。

理由ははっきりしている。そこに「国民の意思」というものを読み込みたいのだ。「意思」とはやっかいな言葉である。強い信念や信条がそこには示されており、確固たるものが暗示されている。その結果、「国民の意思」を人質にとれば、正当性が生まれる。朝日は、「民意」という言葉を無理やりに人質にとって、「自民一強体制」への批判を正当化しようとし、毎日は与党の勝利を認めまいとする。自らの主張を「民意」によって正当化しようとしているだけである。

「民意」にすり寄る政治家

もちろん、これは朝日、毎日という反自民系の新聞だけのことではない。与党支持派は、この結果を、自民による政治の安定こそは「民意」であるというであろう。ここでもまた「民意」を持ち出す。

選挙は「民意」を問うものだということになっている。さして主張のない候補者に限って、自分こそは「民意を国会に届ける」と選挙で訴え、新たに選出された首相は、これまた必ず「民意を大事にする」というのが通例になっている。「民の声は天の声」といわんばかりに、政治家は「民意」にすり寄る。まさしく言霊憑依である。しかし、「民意」とはいったい何なのであろうか。なぜ誰もそれを問おうとはしないのか。

それも理由ははっきりしている。まともな政治家が本心から「民意」を信じているなどとはまず考えられまい。まともな政治家であれば、「民意」などというよりも前に、世界や日本社会についての自らの見解や信念があるだろう。また、マスメディアの政治部の記者やジャーナリストがこれまた本心から「民意」を正当なものと信じているとも思えない。その危うさなど、普段からいやというほど見聞きしているだろう。政治家やジャーナリストがもし本当に民意など信じているとすれば、われわれは、とんでもなくナイーブで子供じみた情報環境に置かれているということであり、それこそが恐るべき事態というほかない。

ナチスは民意の支持を得て政権をとった

にもかかわらず、われわれは「民意」なるものを擬装し、その前にぬかずき、そこで思考を停止する。どうしてそんなことをするのか。これも答えは簡単で、民意とは何かを問うことはまさしくデモクラシーとは何かと問うことであり、民意の正当性に疑問符を突き付けることは、デモクラシーの正当性を疑うことになるからである。

政治家もマスメディアも、まさしく、デモクラシーという土俵の上で仕事をしている。当然、この土俵を疑うわけにはいかない。土俵が崩れれば、彼らの存在意義もなくなってしまう。どんなりっぱな金魚でも金魚鉢が壊れてしまえば生きることはできない。だから彼らは、自らが信じてもいない「民意」なるものを、信じたことにするほかないであろう。この擬装によって、デモクラシーを成立させようとするのである。

ところが「民意」なる言葉を絶対化してしまったために、逆に、デモクラシーまでもが崩壊することもありうる。きわめてわかりやすい例をあげれば、１９３０年代のドイツでナチスは圧倒的な「民意」の支持を受けて政権をとった。そしてそれがデモクラシーを崩壊させたのである。

われわれはナチスからも「民意」の危うさを学んだはずであり、それを無条件に信じることなどできるはずはない。にもかかわらずそれを手放すこともできない。こういう奇妙なディレンマに陥っている。本心では信じていない民意にすべてを委ねるほかないのであり、それが、今日の、政治への不信、政治の不安定、政治への無関心、政治のエンタメ化の核心にある。とすれば、これは「民意が政治を崩壊させる」というべき深刻な事態ではなかろうか。

情緒的かつ気分的に浮動する意見の集合

今日の政治にあって「民意」は、通常、「世論」と同一視される。ほとんど毎月のように「世論調査」と称して、内閣支持率や政策支持率がマスメディアを通じて発表される。「民意」とは世論であり、具体的には世論調査に示される支持率の上下、左右へのゆらゆらした動きにほかならない。「世論」が、時には、国民の明確な意思の表示であることもないわけではないが、多くの場合、「世論」の中身はまったく不明であり、不定であり、不確かなものである。

一応、念のために、それなりに理性的で熟考された意見の集合を「輿論《よろん》（パブリック・オピニオン）」と呼び、他方、その都度の状況に左右される人々の情緒的かつ気分的に浮動する意見の集合を「世論（マス・センチメント）」と区別しておけば、今日、「民意」において「輿なかろう。

論」を期待することはきわめて難しく、ほとんどの場合、「世論」に流されてゆくというほか

「民意を聞け」「民意を実現せよ」という民意至上主義者は、世論を「パブリック・オピニオン」とみなそうとしている。だが本気でそう思っているのだろうか。現実には、多くの場合、それは「マス・センチメント」にほかならない。そして、「パブリック・オピニオン」と「マス・センチメント」は概念としては区別可能だとしても、現実にそれを見分けることはたいへんに難しい。見分けるべき者が大衆だとすれば、「マス・センチメント」に囚われた大衆にそれを見分けろというのは不可能である。そこでこの現実に対して、「民意至上主義」が適用されれば、実際には、「マス・センチメント」でしかないものを、あたかも「パブリック・オピニオン」であるかのように擬装することになろう。

しかもこの流れはほとんど文明の必然であって、それを逆転することは不可能に近い。なぜなら、今日の政治的な課題は、きわめて問題が多岐にわたり、しかも入り組んだ「複雑系」になってしまったからである。

たとえば、グローバリズムのおかげで、多くの問題はもはや国内だけでは収まらない。他国の事情にも左右される。日本の経済状況は米中欧に左右される。ところが他方で、大多数の国民は、日々の仕事やその場限りの快楽の追求に忙しく、またおおよそ半径数メートルの身辺事

項にしか関心をもてない。政策判断においても、大方、それが自分にとって得か損かの判断になるほかない。日常の損得勘定も、本当は、米中関係、世界情勢、イスラム・中東情勢とつながっているにもかかわらず、そんな「複雑系」を考慮することなどできない。

半径数メートルの議論にしか関心はない

だから、この度の総選挙でも、ほとんど各党が共通して、格差の是正、賃金の引き上げ、子育て世帯への支援金支給などを公約にした。これは半径数メートルの議論である。しかし、その背後にあるグローバル競争、米中の経済覇権競争、経済成長の限界などという「複雑系」に属する議論は、公約どころかいっさい議題にもあがらない。世論はそんなものには関心はもたない。そこには善いも悪いもなく、現実とはそういうものであろう。

だがそうだとすると、多くの重要な政治的課題に対して、人々に熟慮や理性的判断を期待することなどもとより不可能であって、しばしばリベラル系の政治学者が強調する熟議どころか、人々は、もっともらしく聞こえる意見、大多数の意見、わかりやすくも威勢のよい意見などに同調することとなる。大衆社会にあっては、人々の政治的意見など、せいぜい喫茶店で聞きかじったいいかげんな知識に過ぎず、それを政治で実現しようとしている、といったオルテガの皮肉な卓見は正鵠《せいこく》をえているのだろう。かくて気分やイメージが生み出す「空気の支配」が生じ、「空気」の流れを決めるようなおまじないの言葉が「臨在感的把握」の対象となる。しかも、ＳＮＳがますます無責任な情緒的な言説を発散するとなれば、「民意」が「輿論」ではなく「世論」になるのは当然の理であろう。

政治の現状を見れば、そのことを嘆きたくもなるものの、ただただこの状況を嘆いても致し方ない。問題の根はかなり深く、かつ深刻といわざるを得ないからだ。問題の根が深いのは、先にも述べたように、「政治は民意に従うべき」という命題こそが今日のデモクラシーの根本となっているからである。だが、この至上命題は本当に妥当なのだろうか。

「民意」に後押しされた国際連盟脱退

まず多少は歴史を振り返ってみよう。果たして「民意」は何をもたらしたのだろうか。

戦前では、日露戦争後のポーツマス条約に対して大衆が暴徒化した日比谷焼き打ち事件が、政治的な意味での「大衆」の登場の画期をなす出来事だといわれる。ロシアからの賠償金をとれないポーツマス条約に反対した新聞が大衆を扇動し、全権小村寿太郎の外交を批判して暴徒が日比谷公園に侵入し、東京各所を襲撃した。当時の日本の国力を考えれば、ポーツマス条約は大きな成果というべきであったにもかかわらず、「民意」はそれを攻撃した。

また、１９３３年の日本の松岡洋右首席全権による国際連盟脱退も「民意」の後押しを受けたものであった。当時の多くの識者は、脱退に反対であったにもかかわらず、大方の新聞は脱退論を唱え、「民意」は国連脱退の松岡外交を支持したのである。

さらに日中戦争直前に近衛文麿内閣が成立するが、これほど大衆世論に歓迎された内閣はめったにない。特に女性の人気が抜群であった。近衛の対中強硬路線は世論の後押しを受けたものであり、上海、南京への日本軍の侵攻は大衆的歓呼をもって迎えられた。第一次近衛内閣は、結局、中国問題の解決の糸口もつかめないまま１９３９年に退場するが、１９４０年に、再び国民的な人気を頼った第二次近衛内閣が成立する。しかしこの内閣が日米関係の調整に失敗して大東亜戦争への道をひらいたことはいうまでもない。

大正から昭和へかけては、まさしく日本における大衆社会の到来といった状況であった。大正デモクラシーや男子普通選挙による人々の政治への参加、新聞、雑誌、ラジオなどのメディアの展開がそれを生み出し、また後押しした。「民意」が政治を動かす時代となったのである。

戦後ともなればどうか。「大衆世論」と「現実政治」の衝突の見事な典型例は何といっても60年安保であろう。岸信介首相による日米安保条約の改定は、革新系の新聞等のメディアや左翼知識人の執拗なキャンペーンもあり強力な反対にさらされた。私は小学校の5年生だったが、学校でいかに安保を阻止しなければならないかを「学習」した。「安保」とくれば「反対」と続く四文字熟語の時代であった。これほど「民意」の迷妄を示した例もあまりないであろう。

今日、当時の岸首相の選択が誤りであったなどという論調はまずありえない。

民意が間違い続けた結果の「失われた30年」

さらに近いところでいえば、２００１年の小泉純一郎首相による小泉改革がある。「民意」は圧倒的に小泉改革を支持した。実際には、郵政民営化を軸にする小泉改革の中身などほとんどの人は関心をもたなかった。「自分の生活がうまくいかないのは、規制に守られた既得権益層のせいだ。だから徹底した規制緩和をすればうまくゆく」という改革の虚言に乗せられただけである。改革甘言に乗った人たちは、その中身よりも、小泉の身振り、手ぶり、口ぶり、頭髪ぶり、つまりパフォーマンスに熱狂した。「本丸」である郵政民営化法案を参議院本会議で否決された小泉は、なんと衆議院を解散して「民意」を問うた。「民意」は圧倒的に小泉を支持したのである。

だが、その後、いったいこの「本丸」はどうなったのだろうか。三分割された郵政事業の現状など誰も関心をもっていない。それはうまくいったのか、失敗だったのか、誰も問わない。メディアも小泉改革について検証しようともしない。

より大きな流れでいえば、バブル崩壊後の１９９０年代以降の「構造改革路線」はメディアの誘導もあって、常に世論の後押しを受けてきた。中身はともかくとして「改革」や「変革」

が政治家の常套句になり、それに便乗する知識人やジャーナリズムが世論を牽引した。その「改革」もすでに30年近くにおよぶ。だが「改革」の30年、日本経済はほぼゼロ成長であり、平均賃金はほぼ横ばいである。皮肉なことに、改革を支持した大衆がその改革によって大きなダメージを受けたのである。

蛇足を加えておけば、２００９年の民主党政権の成立こそまさに「民意」の勝利であり、90年代からの「改革」の流れの頂点であった。「自民党では改革はできない」というほとんど唯一の民主党の言い分を、改革便乗派のメディアや知識人、ジャーナリストは拡声器を通じて「民意」へと仕立て上げたのである。それが何を帰結したかはもはや述べる必要もないだろう。

列挙すれば枚挙にいとまがないが、ざっと眺めても、「民意」なるものは、きわめて重要な国家的な選択において、おおよそ間違い続けてきたといいたくなるほどである。そしてそこには、必ずメディアが関わっていた。意図的か結果的かは別として、メディアによる「世論」の誘導は罪深いというほかなかろう。

世論は常にフェイク・ニュースに誘導される

この2年におよぶコロナ騒動においても、メディアの報道はしばしば揺れ動いたが、その動揺がほとんどそのまま、政府に対する世論の評価（たいていは批判）を動かしていた。当然のことで、人々は、コロナの危険性から芸能人のスキャンダルに至るまで、ありとあらゆる情報をメディアを通じて手にするほかない。一方、メディアは、「何をどのように報道するか」という、そのもっとも基本的な姿勢においてすでに何らかの取捨選択を行っている。その結果、人々の意見、つまり「民意」が、メディアによって誘導されるのは当然であろう。

こんなことは、すでに民主政治がすっくと姿を現した20世紀の初期に、まさにその民主政治の心臓部であるマスメディアを生業としていたアメリカのジャーナリスト、ウォルター・リップマンが『世論』（１９２２年）において書いていたことである。

「世論」を作るのはメディアである。そして、メディアは必ず、ある出来事をひとつの角度から切り取って報道する。「事実」は「現実」をある視点から切り取ったものである。したがって、客観的な事実というものは存在しない。「事実」は、必ずある一定の枠組み、固定観念、つまりある価値観を含んでいる。主観が入っている。報道を発する側も、それを受け取る側も、ある「先験的な価値（思い込み）」をもっていて、それに合わせて「事実」を受け取る。

リップマンが「ステレオタイプ」と呼んだこの「先験的な価値」からわれわれは逃れることはできない。ここでリップマンは、すでに、報道がほぼ必然的に「ポスト・トゥルース」とならざるを得ないことを見ぬいていたのだ。報道においては、厳密にいえば真の客観的事実や真理というものはありえないというのである。常にわれわれは「フェイク・ニュース」にさらされているわけである。とすれば、「世論」なるものが、いかに不確かで危ういものであるかをいやというほど肝に銘じておく必要があろう。

主権を無条件に認めるのは危険

ところで私が「民意」の危うさを問題にするのは、それこそがデモクラシーそのものに関わっているからにほかならない。「民意」つまり「国民の意思」の実現こそがデモクラシーだとわれわれはみなしている。誰もが、デモクラシーとは「国民主権」であり、それがゆえに望ましいと考えている。

昔、大学の一回生の授業でよく質問したものであった。「デモクラシーは日本語で何というか？」当然、「民主主義」である。「では、改めて民主主義を英語に直すとどうなるか？」学生は最初きょとんとしているが、少したつと質問の意味がわかってくる。「民主・主義」を強いていえば「デモクラティズム」とすべきであろう。したがって「デモクラシー（デモス・クラティア）」は「民主政治」もしくは「民衆支配」とすべきである……。

「民主政治」には、特段「主義」というほどのニュアンスはない。「理想」でもない。にもかかわらず、デモクラシーを「主義」として「理想」とみなしたのが戦後日本であった。そこには、「国民主権」という理想があった。

だが、これもよく学生に質問したものであるが、小学生の頃からわれわれにはよく耳になじんだ「国民主権」の四文字は英語では何というのか、と尋ねても、誰もあまりピンとこない。確かに、「国民主権」、つまり「ポピュラー・ソヴリニティ」あるいは「ナショナル・ソヴリニティ」という言葉はあまり見かけないのである。アメリカ憲法には「国民主権」の語はない。

問題は、「ソヴリニティ」、つまり、至高の権力を示す「主権」の概念なのである。われわれ日本人には「至高の権力」といってもあまり実感はないのだが、宗教的権威と世俗的権力が世界の支配と解釈をめぐって争い、また、誰がこの領邦の支配者であるか、それは王か市民かを争った西洋の歴史的経緯からすれば、「主権」は独特の意味をもつ。それはイギリスの政治思想家、ホッブズの主権者（リヴァイアサン）のように、至上の崇高さとまたこの上ない恐ろしさを併せもつものであった。

それゆえ、西洋の政治思想では、デモクラシーを無条件に「国民主権」と捉えることには抵抗があった。政治的主権者は、それが王であれ人民であれ、主権を無条件に認めることは危険なのである。だから、イギリスの政治体制は、形式上の主権者は王（君主）であり、実質上の実権は議会にあり、デモクラシーは下院議員の普通選挙で保障される。あくまで議院内閣制という間接民主主義であって、政治体制の中心は議会主義にある。デモクラシーに懐疑的な19世紀のイギリスの政治・経済評論家、ウォルター・バジョットはもちろん、それとは立場が異なり、リベラルな思想家でイギリス下院議員も務めたJ・S・ミルもまた、代議制による議会主義は、大衆的なものの直接的な政治への関与をできるだけ緩和する装置だと考えていた。

　アメリカの政治理念の核は、まずは「権力の分割」にある。行政、立法、司法の三権分立は当然として、大統領と議会、上院と下院、連邦政府と州政府へと多様に権力が分割されているのであり、絶対化された主権をいかに回避しつつ、かつ権力を有効ならしめるかが、建国の祖たるフェデラリストたちの創意であった。政治とは、公的事項に深く関与できる高い資質と人格をもった優れた人物の指導的行為である、というのが、彼らの基本的な信念であった。

　ついでにいえば、日本でも大正デモクラシーを代表する思想家、吉野作造は「民主主義」とはいわずに「民本主義」といった。理由の一端は、当時の主権者は天皇であったゆえに「民主主義」の語を避けたともいわれるが、それだけではない。彼にとって、政治とは「民衆が行うもの」ではなく「民衆のために行うもの」であり、それが「民本主義」であった。民衆の直接的な関与、世論の無条件の反映の危険を彼はよく知っていたのである。

議院内閣制は民意の直接的反映を回避する装置

　日本はもちろん議院内閣制をとっている。その趣意は、国家や国民全体に関わる公共性の高い、しかも利害が複雑にからむ問題においては、人々の意見を直接に反映するのではなく、その代表者が議会で議論すべきである、という点にある。議員は様々な民意を代弁するというより、国民全体の公共性を代表するのである。「民意」の直接的な反映をむしろ回避しようとするのが、議院内閣制なのである。

では「国民主権」は無意味なのか。そうではなく、それは何よりまず、政府つまり統治権力の源泉と正当性が国民に発することを謳ったものであり、個々の政策そのものの判断についてではない。もちろん、吉野のようにいっても、「政治は国民のためにある」のだから、世論が政治に影響を与えることはいくらでもありうる。そして政策の最終的審判は国民にかけられるのである。しかしそれでも、今日のように、ひとつひとつの政策がたえず世論調査にかけられ、内閣支持率が1カ月ごとに調査され、少しでも下がれば、野党もメディアも首相を引きずり下ろすことに注力し、「桜を見る会」や「森友学園問題」などを延々と取り上げ続けるのは、仮にいくら世論の支持があっても、「政治」そのものの衰弱以外の何ものでもない。

２０２１年10月に任期1年で首相の座をおりた菅義偉氏にしても、決定的な失策があったとも思えない。「発信力が弱い」とか「リーダーシップに欠ける」といったイメージに「民意」が過度に反応した結果にほかならない。しかし、その前の安倍晋三氏は、明らかに、その「リーダーシップ」において近年の首相のなかでは抜群であった。だがこれに対しては野党もメディアも、独断的で強引だと批判したのである。しかも、１９９０年代に始まった政治改革のひとつの目的は、内閣に権限を集中することで、首相のリーダーシップを強化するという点にあった。もちろん、今日の野党も大方のメディアも世論もそれを強く支持した。こうなれば、いったい「民意」とは何なのか。それこそが政治を破壊する、といいたくもなるのではなかろうか。

デモクラシーが機能するために必要なもの

では改めてデモクラシーとは何なのであろうか。私は、それは、選挙で選出された代表者による議論をへた上での政治的な意思決定のルールと見ておけば十分だと思う。あくまで、意思決定の手続きである。そこに「主権」というような、無限定な強い意味を込める必要はない。

ただ、この意思決定のルールが機能するには、それなりの前提がなければならない。手続きに対する尊重、自己主張の抑制と相手の意見への寛容、国家という共同体を可能ならしめている基本的な共通価値の尊重といったものがなければならない。「手続きの尊重」「自制と寛容」「共同の価値の尊重」である。これに対し、「主権（国内における至高の権力）」は、それが君主であれ市民であれ国民であれ、本質的に危険なものなのである。

にもかかわらず、戦後日本は、国民、あるいは市民に「主権者」の称号を与えた。「国民の意思」は絶対化された。ところが「国民」なるものは実体としては存在しない。実際には、一人一人の人がバラバラに好きなことをいうだけである。しかも、自由と平等の原則が保障する価値相対主義のおかげで、バラバラな意見がバラバラに尊重されることになる。多事争論どころではない。ただただ百家争鳴である。

眞子様ご結婚に襲いかかった「民意」

そしてこの「国民主権」が別の形で、いささか無様なまでに発揮されたのが、最近の「眞子様ご結婚」のケースであった。あることないこと、つまり広義の「フェイク・ニュース（真か偽か不明な情報）」が連日報じられ、多種多様な見解や感想が各種のメディアを通じて表明された。「主権者」である国民には、この結婚の是非に関して意見する権利があるということであろう。「民意」が皇居に押し寄せたのである。

私はこの有様を見ていていささかゲンナリしたが、本当はただのゲンナリでは済まない。これこそが「戦後日本」の生み出した光景であった。戦後、天皇は、ＧＨＱによって神聖性を剝奪され、「国民の総意」によって存続することとなったのはいうまでもない。そこで神聖性を喪失したまま、皇室は特異な仕方で国民と結びつく。国民統合の象徴としてである。主体は、あくまで主権者である国民の側にある。皇室の地位そのものが「国民の意思」にかかっていることになる。

その結果、皇室は可能な限り国民に接近し寄り添う。一方、たとえば婚姻に関しては、国民は憲法で保障された両性の合意という個人主義の立場にたつ。「家」という観念は崩壊したのである。こうなるとどうなるか。「家」と「先祖」の観念こそが存在根拠であった皇室にとっては、その存在の根底が脅かされていることになる。そこで国民に寄り添う戦後の皇室は、「家」や「先祖」ではなく、個人主義にたつ両者の合意のみに婚姻の正当性を委ねるほかなくなった。眞子様も小室氏も「愛し合っているからいいではないか」という。皇室もそれを認めるほかない。

そういわれれば、戦後憲法を奉じる国民もまた、同意するほかない。ところが、多くのメディアは、いかにもこの結婚が「家」のつりあいが悪いかのように論じたのである。ただ「家のつりあい」などとはいえないから、それをせいぜい小室氏の家族的スキャンダルとして論じたのである。

主権者とは国益・歴史・文化に抑制される者

神聖性を剥奪された天皇と皇室が、それでも意義ある存在として存続するためには、「家」と「先祖」、そしてもうひとついえば「無私の精神（公共的精神）」こそが日本の社会秩序の、また歴史的精神の基底にあるはずだとしなければならない。皇室は、それらが日本社会の基本的な伝統だとすることで継続してきた。だが戦後社会は、それを封建的、非合理的、家父長的といって総攻撃した。むろん、この攻撃はまったくの見当違いである。

もし国民が主権者であるとするならば、その国民は、「家」と「先祖」と「無私の精神」を尊重するものでなければならない。主権者とは、その国の文化的基底、つまり「国柄」を保持するものだからである。そうして初めて天皇は国民統合の象徴となる。

「主権者」は無条件で至高の権力をもてるわけではない。それは、その社会の成り立ち、歴史や習俗、それに継承された文化や国民精神などによって抑制されたものでなければならないのである。19世紀のイギリスの批評家で作家のチェスタートンは、デモクラシーは死者による投票を含まなければならない、といったが、その意味は、国民は、その国の根底を流れる歴史的、精神的伝統によって拘束されているということであった。戦後日本はこの「死者によるデモクラシー」を放棄し、「民意によるデモクラシー」へと単純化してしまった。

「主権者」を抑制するものがなくなったとき、「主権者」の暴走、つまり「民意」の暴走が始まる。それは、デモクラシーの政治のみならず、皇室にも襲いかかる。主権者であるわれわれが、今日、デモクラシーも皇室制度をも破壊しつつあるという危惧は、決して杞憂というわけではない。「主権」とは、ただ至高の権力を行使する権利ではなく、国や国民に対する大きな義務をも含んでいる。主権者は国益と同時に、歴史や文化の付託を受けた者でもあって、「民意」が意味をもつのは、このような条件のもとでのみなのである。

第5章　ポスト・コロナ時代の死生観

1 経済より重要なのは「死生観」

カネをばらまいて回して、守られる生命

コロナ禍も2年目に入り、人々の慣れに加え、対処方法が多少はわかってきたために以前ほどの深刻さはなくなっているものの、感染の波はまだまだ続くようだ。もっとも、ワクチン開発も進み、いずれこの新型コロナも通常の季節性の風邪になるというのが大方の見通しである。「コロナ後」を見据えて、経済は一気に回復するという楽観的期待が株式市場を沸騰させており、しばらくすれば、誰もがすっかりコロナのことなどなかったかのように、経済成長談議にふけっているのであろう。

資本主義経済の楽観的期待を代弁する人々は、ナオミ・クラインの「ショック・ドクトリン」よろしく、新型コロナが、環境やデジタル技術、医学や薬理学などのイノベーションを一気に後押しするなどと述べているであろう。

私には、この楽観論がもっともありそうで、かつもっともあってはならない方向だと思われる。コロナ禍の以前からすでに現代の資本主義はほとんど限界に達し、先進国の経済成長は困難になっていたからである。コロナ禍は、資本主義をリセットする絶好の機会なのではなく、

資本主義についての思考をリセットする絶好の機会のはずであった。

現代人が陥っている集団的健忘症は、それが生を維持する上での半ば無意識の戦略だとしても、やはり忘れてはならないことはある。さもなければ、われわれは悲惨な経験から何の教訓を学ぶこともできなくなるであろう。

経験からの学習を放棄する文明は、ただ同様の事態を繰り返すだけではなく、その文明自体への自省や懐疑を失うことによって、やがて坂を転げるように転落してゆくであろう。過去の多くの文明が、その内なる過信と慢心によって衰退へ向かったというのは、歴史の示すところでもある。

では今回のコロナ禍からわれわれは何を学んだのであろうか。多くの人はいうであろう。「命の重要さである」と。あるいは「生の貴重さである」と。確かにそうである。だが、まさにその「生が大事」「命が大事」、両方を合わせて「生命こそが大事」が、社会を、人々の精神を分裂させたことを忘れてはならない。経済も人の動きもすっかり止まった静止画像のなかにわれわれの生活を閉じ込めるという非常の策も「生命の確保」である。しかし、経済を回し、人を動かし、物流を確保する常態化もまた「生命の確保」であった。「生命が大事」がふたつに分裂したのである。

この分裂した「生命」のあり方をつなぎ合わせるものは何かといえば「カネ」であった。政府は「カネ」をばらまいて「生命」をつなぎ止め、また人々もそれを要求した。カネが循環するまではカネを配分しようというのだ。

少なくともほぼあらゆるメディアは政府が「生命を守る」ために多額のカネをばらまくことを要求し続けた。そしてそのカネの相当部分が株式市場へ流れ込み、史上最高値にまではねあがったのである。

こうなると、ひとたびコロナが終息すれば、たちまちすべてがもとへ戻ることは十分に予測できる。再び、グローバルな資本主義の展開、経済成長主義へと回帰するのは当然だともいえよう。経済を止めた代わりにカネをばらまくことで非常時をしのぎさえすれば、その後は本来の経済活動が「生命を守る」はずである。カネをばらまくか、カネを回すかの違いだ。回す方でいえば、従来のＡＩやロボットや生命科学に加えて、環境テクノロジーやデジタル・テクノロジーや医療が経済成長の新興請負人として指名される。「コロナ後」の新たな社会へ向けた経済拡張が、われわれの生命を担保することとなる。

コロナ禍が暗示した「死も大事」ということ

だがそれでは困るのだ。理由の第一は、いずれ再び同様の感染症のパンデミックは生じるだろうし、また巨大災害も発生する。そして、かつて寺田寅彦が述べたように、文明の程度が高度化し、有機的な構造が複雑になればなるほど、被害は甚大なものとなるであろう。

さらに第二に、先にも述べたが、現代資本主義は根本的な限界を迎えている。経済成長の追求は、人々の生を豊かにするというよりも、環境、資源、食料、精神の健全性などへの負荷をますます高め、それらを破壊しかねない。それは結果として、われわれの生を著しく不安定化し、破損してゆくであろう。

しかし第三にもっと重要なことがある。そのことを私は特に強調しておきたい。それは、人は「経済」によってのみ生きるものではない、ということである。

「経済」の重要性を根底で支えているものは、「生命の維持と確保」である。今日のような豊かな社会でも、経済を回すことでようやく「生存の確保」が保たれる。「経世済民」にせよ、「オイコノミー」にせよ、経済とは、もともとひとつの社会集団としての人々の生と命の確保を意味していた。経済がもっぱら物的な生産と流通に関わるのは、人間の生が何よりまず物的な意味での生存だからである。

だが、このコロナ禍が、明確にではないにせよ、暗示したのは、人間にとっては「生命が大事」だけではなく「死も大事」ということであった。「死という現実」に目を向けるということである。疫病にせよ感染症にせよ、目に見えない、しかも得体の知れない病原体によって人は常に死に直面している、という事実がそれである。

何もわざわざいうまでもない当たり前のことである。人は必ず死ぬ。生は必ず終わる。それだけのことだ。だがそのことをわれわれは忘れたことにしている。視界から排除する。そして「生」と「命」だけで視界を埋め尽くす。

なぜなら、われわれは、人の死を、「ただそれだけのこと」と受け止めることなどできないからである。それが必然であればあるほど、われわれはその必然の重みを耐えがたく思う。だからこそ、この耐えがたさをあえて視界から追い出すのだろう。

ところが事実は、人は死ぬからこそ生や命をいとおしく思う。死を強く思えば思うほど、生は輝きをもって現れてくる。「生」を善きものとしたいという欲望は、「生」そのものからでてくるのではなく、「死」を前景化するからこそでてくる。「死」はただそれだけの当たり前の事実なのではなく、耐えがたくも逃れがたい必然だからこそ「生」が切実になるのである。

だから「生命は大事」の前提には「死が大事」がある。死はまったく予想を超えた仕方で、突然にやってくる。理不尽に生命を奪う。そのときに、どのように死ぬか、死をどう理解するか、どう受け入れるのか、そしてそれと対比して生をいかに理解するのか。こういう問いが浮かんでは消えてゆく。

端的にいえば、死生観といってもよいのだが、私には「経済」よりも「死生観」の方がいっそう重要だと思われるのだ。死生観といっさい関わらない「生」や「命」は、ただただ生の快楽を追求し、命の延長を追求することだけを自己目的とするほかなかろう。

文明の背後に潜む不気味な破壊者

もちろん「生命」の確保と維持が大事でない、などといっているわけではない。今回のコロナでもしばしばいわれたように、救える命は何としても救うべきであり、感染者の命を預かる医療関係者の命がけの救命治療には頭が下がる。その意味では確かに、生命は決定的に大事なのである。

だがそれでも、この「生命の維持」を根本において第一原則にしてしまうと、その後に続くのは、経済の拡張と医療技術の発展への無条件かつ無邪気な待望でしかない。それしかないのだ。あくことなき「生命の拡張」であるが、それは結局、留まるところを知らない経済成長と技術革新へ向けた競争へ人々を閉じ込める。後は、せいぜい適切な再分配政策によってその成果をできるだけ平等に広く浸透させることだけが、われわれの関心になるであろう。

それでいったい、何が問題なのか、と人はいうだろう。しかもまさしく近代文明はそのことを組織的に展開し追求してきた。それでよいではないか、ともいうだろう。

だが、新型コロナは、この近代文明をあざ笑うかのようにそれに打撃を与えたのではなかったろうか。この文明の表層に点滅する生のイルミネーションの奥底にある何かどうしようもない不気味なものをそれは垣間見せたのではなかったろうか。突然襲い来る巨大災害と同様、われわれの生や文明の背後には、目に見えない正体のよくわからない微生物状の何か恐るべき不気味な破壊者が潜んでいる。そのことをわれわれは改めて知ったのではなかったか。

そこに経済の成長と科学技術の革新という進歩主義が見落とした決定的な何かがある。そしてわれわれはその何かから目を逸らすことで、われわれ自身を、つまり「人間」を、ホモ・エコノミカスとホモ・テクノロジカスというあまりに一元的で窮屈な「非人間的」な存在へと追い込んでしまった。コロナ禍にあってわれわれが一瞬の間に垣間見たものは何であったのだろうか。そのことを多少なりとも取り出すことこそがコロナ禍からの教訓でなければならないだろう。

2　人間と環境の循環構造

人類の成立はウイルスなしでは考えられない

そのためにきわめて単純な事実を確認しておきたい。ウイルスを通常いう意味での生物とはみなしがたいのは、それが自律的な自己複製をできないからである。それは宿主を探し、宿主とともに生きることで自己を増殖させる。ウイルスは、宿主の細胞に入り込んで自己の遺伝子を紛れ込ませる。そのためにウイルスはたえざる変異を続けながらよりよい宿主を探し求める。ウイルスそのものが毒ではないが、宿主にとっての毒性が強すぎて宿主を殺してしまっては元も子もない。かくてウイルスの「繁栄」は、宿主との適切なバランスに依存している。ウイルス自身も過度に強力なものに変異してはならないのである。

そして、この原初的な疑似生物体（と仮に呼んでおくが）は、数十億年の太古から存在した。人類以前から存在するこのウイルスや多種多様な細菌とともに人類は生存してきた。それどころか、人類のＤＮＡにはウイルス由来のものが存在し、しかもそれが人類の胎盤の形成に決定的な役割を果たしてきたという。とすれば人類の成立はウイルスなしでは考えられない、ということになる。

かくて、人の生は常にウイルスや細菌との共存によって成り立っていた。共存とはバランスの維持にほかならず、このバランスが崩れると人もウイルスも共倒れになる。ところが一般的にいえば、バランスを可能とする一点を確保することは実際にはたいへんに難しい。

この事実をもとに、あくまで類比的な思考を続ければ、われわれ人類も厳密な意味で生物かどうかはあやしくなる。なぜなら、人もまた、自律的な自己増殖をまっとうしているとはいいがたいからである。われわれの身体は外部から取り入れる空気や食料に依存し、われわれの精神も外部環境に強く依存している。われわれの身体の細胞組織は外部から採取した食料によって数カ月単位でほとんど入れ替わるともいわれる。また疲労した精神は自然のなかの清新な大気によって癒されるとは誰もが経験することであろう。

あれこれいうまでもなく、外的・内的な環境条件にわれわれの生は依存している。身体の内部を見れば、たとえば消化器官に住みつく膨大な数の細菌がわれわれの免疫系に影響を与えている。つまり、われわれの身体状況も精神状態もこの細菌バランスに依存していることになる。外部にあっては大気の悪化が呼吸器へ悪影響を与える。食料の質はわれわれの健康に直結する。われわれの日常の食べ物は、動植物や土壌や水質と無関係ではありえず、それはまた、われわれの日常生活からの排出物や廃棄物と関係する。

生命は自然・身体・精神のバランスに依存する

とすれば、「生命が大事」という意味は、外的な環境条件や内的な微生物（異物）と、われわれの身体や精神の間のバランスと、それを可能とするような「人間と環境の循環構造」によって成り立つというほかない。「生命」は人間の個体において完結しているのではなく、自然環境や微生物や動植物を含む多様な生物などとのバランス（平衡）によって成り立っている。

これもまた当たり前の話であろう。にもかかわらず、このしごく当然のことが意識されるのはむしろまれといってよい。なぜなら、「人間と環境の循環構造」こそが生物体としての人間の「生命」の根本だからである。そして「生物体としての人間」という、それ自体が「自然」に属する人間のもっとも根底にある「生命」へ立ち戻らなければ、そのことが明確に意識されることはないからだ。

確かに、この循環構造は今日、われわれの意識野に明確な姿を見せることはあまりない。だがしかし、明確に意識されることはなくとも、われわれはほとんど無意識のうちに、そのことを知っていたはずだ。しばしば、人は「生命力」にあふれているとか、「生命力」が衰えるとかいったりする。「生気」に富むとか「生気」がない、などという。その意味での「生命」とは、自然環境、多種多様な生物体、そして身体、精神などの間のバランス（平衡）に依存している。それは、人間自身も「自然」に属し、自然環境や様々な生物体との循環的平衡の内にあって初めて「生命」を養うという根本認識に立ち返ってようやくこのバランスは意識される。

ところがまた、自然や、病原体も含む他の生物は、常に不安定に変動し、時にはとてつもない害悪を人間にもたらす。自然災害やパンデミックはわかりやすいが、そうではなく、気候や地球温度の微妙な変動や、動植物を含む生態系のわずかな変化がある。この意味で自然も常に変化する不確定な運動体なのであり、そのかなりが人間自身の活動の帰結だとしても、いずれ不確定な揺れ動きに人間は適応していかなければならない。個体のレベルでいえば、害悪はできるだけ早く察知しなければならない。それは個体の生命の安全に関わっているからである。

バランスとは、この不安定な動きを適切に身体や精神に取り入れ、また身体や精神を自然の不確定性に向けて調整する作用といってよかろう。調整によるバランスが可能であるためには、身体も精神も硬直化させてはならない。このバランスの作用をしばしばわれわれは「気」と呼び習わしたりするのである。「気の循環」「気のめぐり」「気の流れ」などとわれわれはいう。

そして、外的自然、身体、精神を相関した一体と捉え、そこに生じる不安定な揺れ動きと相即しつつ調和を保とうとする。そこから医食同源の養生法や呼吸法や瑜伽《ゆが》行や鍼灸や心技体の一体化などという考えもでてくる。

伝統や習慣のうちに保持された様々な心身の養生法といった「生の技法」が生み出されてきた。自己の生命のケアである。

自己増殖のために宿主を支配してきた人間

かつて日本には日本なりの「生命のケア」があった。仏教修行や神道のお祓いや清めもそうであろうが、それよりも、人々の日常的な気遣いや生への配慮のうちにそれらは慣習化されていた。「自己」による、自己のための、自己の生命のケア」などといういかにも近代的、意識的なケアではない。特別な行動や了解の以前に生活と思考のうちに埋め込まれた何かであった。それは人間もまた自然の内なる生物体である、という事実を根拠とするものである。それは、生物体としての存在が当然にもっている生命作用にほかならない。民衆の知恵や日常の工夫には自然な生命作用が静かに横たわっていた。

これは単純な事実である。だが、強いてこの事実がもたらす類推を続ければ、人間もまたウイルス同様、自然環境を宿主として、宿主との間に一定のバランスをとりつつ生命を維持するというほかないであろう。そして人間もまた常に「繁栄」を求めて変異を繰り返す。

ただ明らかにウイルスと異なるのは、「繁栄」つまり「増殖」を求める変異は、人間の場合、意図的・意志的であり、実に手の込んだ高度な組織化による自然環境の支配、という特有の形をとる。自然の内にあるはずの人間が、その自然を対象化し、人為的なものに置きかえてゆく。それが文明化である。文明化とは、たえざる宿主（自然環境）との闘争であり、宿主を支配しようとするとてつもない野心に突き動かされた実験ということもできよう。

自然環境という宿主を自らの意思に従属させ、自らの利益に資するべく人為的環境に置きかえようとする近代文明の野望にも言い分はないわけでもなく、それは、自然環境のもつ不確定性、不安定性を人為的な確定性や算定性へ編入して管理しようとする。実際、不確定性、不確実性こそが人間の繁栄に対し最大の害悪をもたらすものであった。

ウイルスと人間に違いはあるか

そのために近代社会は、「自然」と「人為」を区別し、可能な限り、「自然」を排除してそれを「人為」で置きかえようとした。

言い換えれば、先の、自然、身体、精神などの間に生じる相依相関に従ってそれらを調和させるという循環的平衡の発想も、「気」などというあいまいな概念も徹底して排除しようとしたのである。

それをしばしばわれわれは近代の「人間中心主義」という。近代の擁護者は、神の超越や魔術の神秘に代えて「人間」を中心に据えた合理的世界観を賞揚する。一方、近代への批判者は、人間中心主義の傲慢をもって近代の錯誤だという。

だが、どちらも違っている。われわれは決して「人間中心主義」など確立してはいないし、またできもしない。

あるいはこういってもよかろう。本当の「人間中心主義」は、あるとすればもっと別の形においてだ、と。自然環境との循環的平衡を保とうとする試み、人間の生物体的生命に立ち戻り、人間の生命をケアする精神の方が真に「人間中心主義」というべきであろう。人間も他の生物体と同様、まずは自然的存在であることを前提に、その限界において自らの福利を最大にするのが本来の「人間中心主義」というものであろう。

それはともかく、再び近代の人間中心主義に戻るが、われわれは人間を世界の中心に据えたにもかかわらず、自然環境を意のままに支配することも排除することもできない。この支配の試みが、あたかもウイルスの過剰なまでの自己増殖のように、われわれの富と快楽を増殖させるとき、明らかに自然環境とのバランスは崩れる。つまり、人はその宿主とのバランスを突き崩すことで、自らの生存を崩壊させかねないであろう。

この点だけでいえば、人間もウイルスもさして変わりはないのだ。突き放してみれば、何も考えずに自己増殖のために宿主を探し、時には過度な自己強化への変異によって宿主（環境）を破壊するウイルスと、やはりひたすら富と快楽の増殖を求め、その過剰が環境（宿主）を破壊する人間ではいったいどこが違うのかともいいたくなってくる。

では違いはどこにあるのだろうか。

3　人間だけが「死」を意識する

大地に根を張り世俗を超越する「日本的霊性」

それは、人間は「死への意識」をもつという点にある。もちろん、そんなことはウイルスと比較しても意味のないことで、ウイルスに向かって「死の意識」などといっても滑稽なだけだ。

あらゆる生物体の根本は自己の維持や増殖にある。ただ人間の場合、自己の維持は、「生命の維持」というだけではなく、「生命の消失」を想像することができる。つまり「死」への意識をもつのである。自然の生物体として人間はごく当然に死ぬのであり、人間の死は必然である。だが、人間だけが、自らの「死」を強く意識できるのであって、まさにそのことによって人は生物体としての生命を超え出るのだ。しかも死が不可避であるがゆえに人はそれを嫌悪し恐怖する。そこにまた、自然の内なる存在としての生命を超えた独特の新たな生命観を求め、それを作り出すという人間の特異性がある。

それを私は鈴木大拙の言い方を拝借してさしあたり「霊性」と呼んでおきたい。大拙は、霊性を、一方で深く大地に根を張ったものとし、他方では、世俗的な現実を超越するものとみなした。大地性をもつことで、それは、セム的一神教のごとき絶対的超越、抽象的神聖には至らない。他方で、世俗的現実を超越しようとすることで、それは、世俗を超えた永遠の生命や魂といった聖的な観念へと接近する。

とはいえ、この超越は決して抽象的で貴族的なものではなく、大地に生きた人々の生の営みと不可分だという。そこに日本独特の霊性観が成立するという大拙の発見が、日本的死生観や自然観と深い関わりをもつのは当然のことであろう。

ここでいう霊性とは、多かれ少なかれ、人知・人力を超えたものの存在を想定している。その存在を前にすれば、われわれの知性も分別知も何の役にも立たない。ただ人間の限界を知るほかない。ただそれに付き従うほかない。そのとき、人はわれわれを超えた霊的なものの前で、己を空しくするほかない。霊的なものへの怖れや畏れをもつほかない。

しかもそれは、われわれから隔絶した永遠の彼方に垣間見られるのではなく、われわれの生の具体的な場面、場面に即している。このような霊性への直観は、繰り返すが、決して観念的なものではありえず、人々の日常の具体的な生活の場所、つまり「大地」からたちのぼるものでしかない。日常の生をいきなり断ち切る不条理な力への心底からの怖れとおののき。こういうような存在に、歴史上のある時期に日本人は覚醒した。いや、その種の何ものかの存在を知っていることに気づいた。

この日本的霊性への覚醒が、平安末から鎌倉にかけての、あの果てしない騒乱と災害と疫病に襲われた悲惨この上ない混乱の時期であったということは、このさいそれほど強調する必要はないとしても、ただ、それが人の、無慈悲で、不条理で、不可避の「死」という事実に心底から揺り動かされる出来事であったことだけは確認しておくべきであろう。大拙は、この混乱を機に、日本人のうちに抱かれていた霊性が一気に表面化したという。この「死」に精神の拠点を預けて改めて「生」を見たとき、そこに「生」を可能にするものとしての「霊性」なる観念が立ち現れてきた、ということであった。

日本文化の根底にある、自然と一体化した死生観

だから、この意味での霊性を、改めて、「生命」ということもできる。死と生をつなぐものとしての「生命」である。「死」を超えた「生命」という意味では、それは永遠の命である。「霊的生命」といってもよかろう。それをわれわれはしばしば「魂」と呼び、「命の根源」などともいう。死は不可避だとしても「魂」によって、死と生は相関する。生者と死者は共鳴する。次元は違っても両者は連続する。

しかもなお、日本文化は、その「魂」あるいは「生命」を自然と結びつけた。この場合、霊性の発現の場は、大地というより自然といった方がよいであろう。ありとあらゆる自然的存在の内に「生命」を見ることで、人間もまた、ありとあらゆるものとつながっている、という万物一体の観念を生み出した。人は自然に溶け込み、ありとあらゆるものと相即するとみなされて初めて、「霊的生命」にあふれるのである。

この自然と一体化した根源的な生命という観念において、現実の死は霊的な次元に移行して克服される。仏教が繰り返し主張するような生死一如といってもよい。密教の即身仏でもよい。平田篤胤がいうように、顕界・幽冥界の重なりを想像してもよい。ともかくも、日本文化の根底には、このような死生観があった。それはまた、「生命論」を内包した自然観でもある。日本人の霊性的観念はおおよそこうしたものであった。

かくてここに興味深いことが出現する。自然界の生命体としての人間は、ただ生物体として生きて死ぬだけである。人間もウイルスも細菌もタンポポもパンダもみな生物体としては同じことである。人間だけを特権視する理由などどこにもない。すべては、循環的平衡を保って共存しているのである。これはもっとも根源的な事実であり、根本的な「生命観」である。

ところが、人間だけが「生」と「死」を知る。「死」を恐怖し、「生」の意味を求める。そこに霊性が生まれる。「死すべきもの」としての人間の根源的な限界の上に陽炎《かげろう》のような生の充実をはかろうとする。だが、そうすればするほど、「生の切断」つまり「死」という根源的事実が重くのしかかるだろう。

「霊的生命」こそが人間の本質

霊性とは、この事実によりつつ、何とか死と生をつなぐ心的な装置であった。ここに再び、自然的存在としての人間が回帰する。霊的なものを「生命」と呼び変えれば、人間は、自然万物と共鳴しあい、相即しあうことで「生命」をもつ、という観念がでてくる。こうなれば、生も死も自然の摂理であり、日本的霊性が向かう先は、絶対神ではなく、すべてを包み込む自然にあるということにもなろう。

霊的な生命はもともと自然の根源に宿っており、それが時には人に活力を与え、また、時には活力を取り去り、生と死とを結びつける。こういう観念が日本にはあった。だから、生命とは、何ものかなのではない。「はたらき」という方が適切であろう。

日本文化の根底には、このような「はたらき」が作用していた。かつて恐るべき自然災害や疫病や戦乱のなかで、人々はこの種の「はたらき」としての霊的生命を直観したのである。確かに「霊的直観」を今日、この時代に期待することは困難といわざるを得ない。

現代社会は「霊的生命」など一顧だにしない。だが、「霊的生命」とは別に何か神秘的で超自然的なものではない、それどころか、生命体であると同時にその生命体であることを超え出ようとする「人間の本質」に属することである。

「人間中心主義」というなら、それこそが「人間中心主義」であるべきだろう。それは生命体のもつ一般的な生命根源を脱け出し「霊的直観」をもつことである。それはまた真の意味で「人間の限界」を知ることでもある。科学も政治も経済も自然災害や地球環境や疫病に対して限界をもつことがわかった今日、少なくとも「霊性的生命の直観」を保持していた日本文化の基層へ目をやることぐらいはできるのではなかろうか。

第6章　日本近代、ふたつのディレンマ

1　日本近代の宿命

壮大な一幕の悲劇として

歴史の一局面を切り取って「日本の近代」と呼び、しかもそれを一言、二言で特徴づけるというおよそ学術とは縁遠い試みを少しやってみたい。

無謀な試行であることは承知しているものの、この場合、それなりの理由がないわけではなく、明治（あるいは幕末）から始まり昭和の大戦へと至る70～80年の日本の歴史舞台を、その前後からあえて切り離し、そこで演じられた「日本の近代」という演目を、壮大な一幕の悲劇として論じたくなったこともまた事実である。

たとえば、戦後の１９５０年代から70年代にかけて歴史に関わる学界や思想界を支配したマルクス主義的歴史観は、明治以降の日本の支配階級の性急な資本主義化の矛盾拡大を日本の近代と捉え、その帰結を日本の大陸侵略と見た。また、もう少し緩やかな左翼史観は、明治の近代化に一定の評価を与えながらも、天皇制国家と「上からの」近代化政策に根本的な誤りを見る。

これに対して60年代後半から圧倒的な大衆的支持を受けた、たとえば司馬遼太郎の歴史観は、指導者、庶民を含めた明治の近代国家形成を高く評価するとともに、軍部の台頭により蹂躙《じゅうりん》された昭和の失敗をこれと対照させる。

もちろん、近年の歴史研究は、このような単純な歴史観を容易には認めないのであろう。「日本の近代」といっても、明治の前期と後期ではかなり異なっているし、まして大正、昭和でまたディメンションが異なる。

昭和の大戦に至る過程においても、議会や政党政治の曲折、大衆の台頭、メディアの役割、軍部内部での対立など多様なファクターが複合的に作用している。また、そもそも「日本の近代化」を明治以降に限定することに無理があって、江戸期にすでに日本なりの「近代」が始まっていた、という見方も十分ありえる。

「ウエスタン・インパクト」による開国

これらすべてをもっともな歴史研究として認めた上で、それでも、「日本の近代」をあえて俎上にのせ、厳密な解剖よりも前に、その全体像を特徴づけたくなるのはどうしてか。そこに「日本」における「近代」に特有のある固有の事情が作用しており、その固有の事情が、その後の、昭和の大戦に至るまでの日本の歴史劇を、また思想の営為を、ほとんど方向づけてしまっているからではなかろうか。

その決定的な特徴とは、いわゆる「ウエスタン・インパクト」による開国と体制変革、そして西洋文明のがむしゃらな導入による近代化の開始というまぎれもない事実にあった。こんなことはいまさらいうまでもないことであり、誰もが知っている事項である。

しかし、そのことの含意は案外とまともに検討されていないのではなかろうか。私が関心をもつのは、様々な歴史的な出来事や事実の実証ではなく、「ウエスタン・インパクト」と明治維新のもつ「思想的な意味」である。

世界史上、例を見ない実験

われわれの課題は、「日本の近代」という、世界史上もほとんど例を見ない壮大な実験的演目の主題を「思想的」にどう理解すればよいのか、ということである。

あらかじめいってしまえば、この壮大な世界史的実験は、いくつかの決定的な矛盾を、その内部にというよりも、その本質においてはらんでおり、そのことが、最終的に（当時の呼称でいう）大東亜戦争を引き起こしたとまではいわないが、脈々とその底流を流れ続けていた、ということである。

端的にいえば、「日本の近代」とは、その本質において、解決しがたいディレンマを抱懐した特異な歴史的経験であった、ということになろう。

そのディレンマとは何か。さしあたっては簡単なことである。植民地を求めてアジアに進出した西洋列強の強力な圧力が、日本に強い危機感を植え付け、それが「近代化」への道をひらいた。この場合、日本の近代化とは、西洋文明の意図的で急速な導入によって、日本を西洋列強と互角の近代国家に仕立てあげることであった。

明治政府は、驚くべき勤勉さと機敏さを発揮し、その目的をおおよそ達成した。

ところが、そうなれば、日本と西洋列強の対立は不可避になる。なぜなら、当時の世界状況とは、まさしく列強による植民地主義、帝国主義の真っただ中にあったからである。

近代化の大成功が生んだ列強との対立

かくて、「日本近代のディレンマ」はきわめて簡単な論理によって表現される。西洋文明の急速な導入による近代化をはかる以外に、日本は列強の属領化、分割統治を免れることは難しかった。一方、近代化に成功すれば、日本は西洋列強の地位を脅かし、それは列強との決定的な対立を引き起こすであろう。

明治政府の近代化政策の大成功こそが、逆に、列強との対立という大いなる危機へと日本を陥れるのである。これがまずひとつの「ディレンマ」である。

そしてその結果が大東亜戦争であったといえば、先にも述べたように、あまりに非学術的に過ぎ、歴史研究の等閑視の誹《そし》りを免れまい。大戦に至る過程においては、日本は、うまくやれば戦争を回避しえたであろう様々な選択に直面し、その都度、不適切な選択肢を選んできた、ということもできる。軍部と政党政治の関係も無視しえない。

大東亜戦争へ至る道程は、決して単純なものではなく、世界情勢と国内状況が強いる複合要因の帰結であった。これは事実の検証の問題である。

にもかかわらず、実に単純で明快な「近代日本のディレンマ」の論理が貫徹していることの方が、私には強烈な印象を与える。何やら、様々な実証的な歴史研究をどこかあざ笑うかのように、この論理が作動している。

だから、福田恆存《つねあり》ではないが、ここに「日本近代の宿命」という言葉をあえて当ててみたくもなるのである。

2　福澤諭吉の予言

『文明論之概略』の本旨は「一国独立」

しかも、そのことを、日本近代化を先導した最初にして最大の思想家であった福澤諭吉が、ほとんど間違いなく予言していたことも驚くべきことであろう。福澤諭吉の生涯をかけたテーマは、次々と押し寄せる西洋列強の圧力にさらされながらも、いかにして日本の独立を保持するかにあった。『文明論之概略』(明治8年)には多様な論点が含まれているものの、それを一貫する主題は「日本の独立」にある。

もちろんこの書物は、進んだ西洋文明の導入を強く訴えた啓蒙書であり、その前提として、文明の高度化へ向けた人間社会の進歩が想定されている。野蛮、半開、文明という三段階論でいえば、半開段階にある日本は文明を目的とすべし、ということにもなる。そしてその場合、文明国家が他国に従属するなどということはありえないとすれば、文明国とは独立国であり、また独立国は文明の国であった。かくて本書の結論部分というべき「巻之六」に端的に示されるように、あくまで本書の本旨は「一国独立」にあった。

一国独立のための一身独立、そのための文明化

では、この「一国独立」を可能とするものは何か。それは、「人民独立の気風」であり、この気風を養うものは、人々の間の活発な交わり(人間交際)であって、智徳の向上とそれを前提とした報国心であった。文明こそがそれを可能とする。だから文明とは何かと問うて彼はいう。文明とは「人間交際の高まり」であり、「人の安楽と品位の進歩」であり、「智徳の進歩」であり、また「人民独立の気風」である、という。

今日の弱肉強食の世界にあって西洋が強国の位置を占めるのは、その意味での高度な文明を

実現しているからだ。そうとなれば、この禽獣世界において独立を確保するには、日本は、西洋文明を取り入れ、速やかに文明化をはからねばならない。「独立を保つの法は、文明の外に求む可《べか》らず」であり、「国の独立は目的なり、国民の文明はこの目的に達するの術なり」というわけである。

きわめて明快な論旨である。だが、この論旨が明快であればあるほど、事態はやっかいなものとなる。なぜなら、「一国独立」は、一人一人の「一身独立」を前提とするが、この一身独立の気風は、ただ西洋文明の導入によって養えるようなものではないからである。とりわけ『学問のすゝめ』（明治5年）において強調される「一身独立、一国独立」にあって、「一身独立」とは、たとえば民権の伸張に示されるごとき、個人の自由や権利の拡張を意味するのではない。自由とは、道理に従い、情に従い、「分」をわきまえた上で自らの一身の自由を達成することでなければならない。

「独立の気風」は西洋文明の模倣では養えない

それは近代的な個人的自由とはまったく異なっている。それゆえ「一身独立」とは、国や社会や職業を離れては決してありえない。だからこそ、「一身独立」は「一国独立」へとつながるのであり、この因果の輪を結び合わせるのは、あくまで「おのおのその国人たるの分」を尽くし、我が家を思うがごとく自国のことを思い、国のためには財を失うのみならず、一命を投げうっても惜しまない「報国心」を発揮する限りにおいてなのであった。

ところが、福澤の啓蒙主義は、ここで大きなディレンマに直面する。もしこの啓蒙が、ただ近代的進歩主義に突き動かされ、西洋文明の徹底した模倣と導入を唱えたものであれば、話は簡単であっただろう。しかし彼は、西洋文明の模倣をもって文明の進歩とみなす「心酔者流」を断固として排する。『通俗国権論』（明治11年）においても、一方では、西洋の文物の真似もやむを得ないと認めつつも、西洋の文物、知識の無条件の崇拝や、西洋人を智なり、日本人を愚なりとする「心酔者流」の心理を強く非難している。

だから彼はいう。自分の考えは、こうした西洋心酔者とはまったく異なっている。私は、日本が西洋のごとき国家にならないのを憤るのではなく、逆に日本が西洋のごとき国家になることを憂えるのだ、と。

文明化が進むほど失われる独立の精神

当然というべきであろう。それが薩長の藩閥中心の明治政府であれ、あるいは、洋風の知識を気取る知識人であれ、文明開化に踊らされる庶民大衆であれ、「独立の気風」を失った文明の擬装ほど、真の文明から遠いものはなかろう。それに、そもそも本当に日本が西洋の模倣などできるわけがない。

西洋文明は、あくまで西洋の歴史と思想のなかから生まれてきたものであるからだ。西洋の模倣によって日本が真に西洋型国家となるなどという事態はありえない。

そして事実、「日本の近代化」とは、ただ西洋模倣として片付けられるものでもなかった。後にも述べるが、一種の和洋折衷のごとき独特の近代化というべきであった。まさに「日本」独特の近代化であった。この和洋折衷、もしくは和洋混融のごとき近代への道程を、明治の指導者たちの見事な知恵と見るのか、封建時代の遺物を残した中途半端な未完成品と見るのか、見方は分かれよう。おそらく、真に西洋文明の完全模倣というような途方もない困難を成し遂げることができれば、まだしもよかったのかもしれない。だが、それはもとより不可能だったからこそ、本論でいう「近代日本のディレンマ」が生じたのである。

にもかかわらず、西洋文明の衣をすっぽり日本に被《かぶ》せ、西洋国家風の外見を演出する。人は、身にまとった衣装を鏡に映して自己を認識する。「文明開化」などという言葉自体が、いかにも半開国家を暗示しているにもかかわらず、西洋風の衣装によって文明が開化したかのように思い込む。この衣装を着こんだ姿を映す鏡の役割を果たすものは、欧風の政治家、知識人、ジャーナリズムなど社会の先頭を走る先進的牽引者である。彼らは、自らの言葉ではなく、西洋の口ぶりで語る。

だが表面上の西洋模倣による文明の擬装ほど空虚なことはなかろう。そして、この西洋風の文明擬装に未来の進歩を託してゆけば、いつのまにか、欧化政策や文明開化こそが、「一身独立、一国独立」の精神をじわりじわりと衰微させる元凶となるであろう。端的にいえば、西洋文明の導入による日本近代が成果をあげればあげるほど、日本人の独立の気風は失われることになる。

日本は外面的には独立を達成し、世界からの承認をえるとしても、そのことが逆に日本人としての精神の独立・自立を喪失させることになる。外形的な文明化が進展すればするほど、日本人の精神的な空虚感は増幅し、その結果、日本は文明から遠ざかるであろう。これが日本近代のふたつめのディレンマである。

3 革命と復古と独立自尊

明治政府が失い、西郷が持ち続けた「義」

『文明論之概略』においてはそのようなディレンマは、萌芽的に見られても、正面からは論じられていない。表面的に見れば、福澤の文明論は、智徳に関しては智に傾き、徳についてはせいぜい私徳を多少論じているに過ぎない。

しかし、だからといって福澤が徳義、とりわけ公徳を軽視したとするならそれは間違っている。「わが日本国士人のために道徳の標準となすべきものを求めるに、報国・忠等の題目をもって最も適応のものと信ずるなり」（「徳教之説」明治16年）というように、「士気凜然」とした三河武士の武士的気風こそは、福澤の考える徳義の中心であった。そう見ないと、西南戦争における、福澤の西郷擁護や、後に書かれた『瘠《やせ》我慢の説』（明治24年）などを理解することはできない。

西南戦争に関して書かれた『丁丑《ていちゅう》公論』（明治10年）は、西郷隆盛の直接的な擁護というよりも、攘夷、攘夷と唱えながら、御一新とともに開国、欧化政策と文明開化へと手のひらを返すごとくに転じた明治藩閥政府への批判という面持ちが強いが、その際の福澤の政府批判の中心にあるのは、西郷を攻撃する明治政府こそが「義」を失っている、というものであった。明治政府に、西郷を逆賊などという資格はない。そもそも明治政府の要人たちはかつて西郷とともに幕府を転覆させた者たちで、賊というなら彼らもまた賊である、というのである。

また福澤はいう。西郷は朝鮮出兵という外征を唱えながらも入れられず政府を去った。ところが、その後、明治政府は台湾を征伐し、清に迫って巨額のカネをえた。しかも、もともと内政重視のはずの政府の実際を見れば、士族は窮迫し農民は難渋し、農民一揆は徳川の時代以来の数を数える。

こうなれば、かつての討幕の士も、それが無益な労だったと知り、徳川幕府に申し訳なかったと思っても不思議はなかろう。だから、西郷に大義名分がない、という理屈は間違っている。「義」を失ったのは政府の方なのである。江戸の三河武士がもっていた「義」という徳の品格を明治新政府は失った。西郷には明治新政府が失った何か大事なものがあったということだ。これが福澤の考えであった。

「立国の要は瘠我慢の一義にあり」

この延長線上にあるのが『瘠我慢の説』における勝海舟や榎本武揚への強烈なまでの批判である。幕臣たる勝は、敗北覚悟で最後まで幕府のために戦うべきであった。五稜郭までいって奮闘した榎本は、決して明治政府の高官などになるべきではなく、静かに余生を送るべきであった。

ここでもまた福澤は「義」を問うているのである。徳義を失ったとき、明治政府は「立国の根本たる士気」を見失った。「立国の要は瘠我慢の一義にあり」といわねばならない。一身で二生を生きたという福澤は、一方では近代の合理的精神を賞揚すると同時に、他方では、確実に、徳川の武士道精神を保持していた。

それが、福澤のいう「独立の気風」ということであろう。独立自尊といってもよい。独立自尊こそが「立国の根本」なのである。「一身独立、一国独立」とはそういうことであった。確かに、それは、突き詰めれば、恐るべき思想をはらんでいるともいえよう。

なぜなら、立国の根本に関わるとき、いっさいの「利」を犠牲にしても「義」をとらねばならないのか、というとてつもなく深刻な選択をわれわれ自身に突き付けてくるからである。

勝海舟の江戸城無血開城という選択が正しかったのかどうかは容易には評価しがたい。明治以降の「近代化」を知っているわれわれは、大方、これを勝の大局的見地にたった英断、優れた現実認識とみなして高く評価する。それはいわば公式的評価というべきものであろう。

実際、江戸で大決戦が行われていれば何が生じたかを想像すれば、勝の決断を批判するのは難しい。しかしこの表の公式的評価の裏に張り付いた割り切れなさが残ることもまた事実である。上野から会津、奥州、さらには函館まで転戦した佐幕残党たちの戦いはすべて意味なき錯乱だったといえるのだろうか。

どうしても、このような疑問がついて回る。薩摩と岩倉具視《ともみ》の陰謀によって（それには西郷も関与しているのだが）、気が付けば逆賊とされた幕臣たちのもつ「敗者の義」を明治の新時代とともにゴミ箱にでも捨てるように廃棄処分にすることができるのか、ということである。西郷にはそれができなかった。

福澤が本心から江戸決戦を望んでいたとも思えないし、またあれほど攘夷をきらっていた彼にすれば、明治政府の開国和親への転換に特段異を唱える必要もなかったであろう。しかも彼は時には「利」をとる人間であった。

明治政府について回る暗い疑惑

だが問題は、この「敗者の義」を勝者がどこまで自覚しているかである。明治維新には、何かある暗い誕生の秘密が隠されている。明治政府の要人たちはそのことを一番よく知っているはずだった。ある後ろめたさ、疚《やま》しさが維新の底によどんでいるはずであった。だから明治政府は西郷を恐れたのである。そして西南戦争において西郷に逆賊の汚名を着せたのであるが、ここでまた、明治政府は、もうひとつの「敗者の義」をその心理の奥深くで引き受けざるを得なくなったのである。

そしてこのことは、「日本の近代」について、ひとつの暗い、しかも執拗について回る疑惑をことあるごとに突き付けてくる。それは攘夷から始まった幕末の動乱と御一新というかつてない体制変革が、明治に入るやいなや、洋行帰りの指導者たちによってあっさりと欧化政策へと目まぐるしく逆転するという不可思議な現象である。

もちろん、幕末に西郷も述べたといわれるように、そもそも攘夷など倒幕の口実に過ぎなかったということもできよう。また西洋の文明進歩をつぶさに知った大久保利通や伊藤博文らの秀逸な先見の明と高度な現実感覚を賞揚することは容易であるし、今日の大方の歴史観もそれを支持するであろう。

だが、それでは「義」はどこにあるのか、という疑惑は残る。要するに、明治維新の「維新」とは何だったのか、ということである。

もちろん、「革命」と呼ばれるようなあらゆる巨大な体制変革においては「義」などというものは吹っ飛んでしまうともいえる。そもそも「義」などにこだわる必要はどこにもない。「義」など立場によって変わってくるし、歴史の連続をいったん断ち切るには旧来の「義」も放棄し、裁断するほかない。

新体制は、その意味で、常に、暴力による新たな正当性の宣言、権力による権力の破壊という構造をもっている。それをわざわざ「汚点」というほどのものではなかろう。破壊の上に創造はくるのだ。

攘夷の「義」と文明進歩の「利」の相克

しかし、それにもかかわらず、日本の維新革命には、この一般論では裁可しがたいある特殊性があった。それは、いうまでもなく、この革命が、「尊王攘夷」という大義名分の旗印のもとに行われたからである。それはひとまずは外圧からいかにして「日本を守る」かという問題であり、そして次に守るべき「日本とは何か」という正統性をめぐる問題だったからである。だから、明治維新はフランス革命のような歴史の裁断ではなかった。「革命（レヴォリューション）」は実は「復古（レストレーション）」であった。ここには「正統性」の問題、つまり「義」の問題があった。「古《いにしえ》」への回帰とは正統性の回復そのものであった。

こうして、日本の近代は、ひとつの大きなディレンマを内蔵することとなった。それは、攘夷を旗頭に成立した新政府は、たとえぬきさしならない現実に直面したとしても、決して精神の内面においてまで攘夷の旗を降ろすわけにはいかない。それは「義」の問題であり、日本という国家の独立自尊の問題であった。

ところが、現実には攘夷など不可能であり、日本の「独立」の確保のためにも欧化政策による近代化は不可避であった。現実には「利」をとるほかない。そして「利」には光に蛾がたかるように人々が群がる。西洋型近代こそが文明進歩だとなれば、「利」は文明の名において正当化されよう。

明治政府の文明開化は、「正統性」に疑問は呈《てい》せられても「正当性」は与えられる。それは日本でなく「世界」の潮流だからである。日本国内の正統性などというちっぽけなものよりも、世界の潮流に乗ることの方がはるかに大事である。こういう理屈も成り立つであろう。

では、日本人にとって、日本の歴史的伝統はどうなるのか。それを無視することはできるのか。「義」つまり「正統性」はあくまで日本社会の歴史的伝統に根をもつものではないのか。

　かくして、この日本の歴史的伝統という名目の指し示す「義」と、文明進歩という実質のもたらす「利」の相克が生じる。社会の表層や上層において跋扈《ばつこ》するのは文明進歩の「利」を合理とみなす近代派であり、攘夷こそが維新だと信じる者は、社会の表層から排除され、「義」を懐に抱えたままいわば精神の浪人となる。当然、彼らは「利」をむさぼる明治政府に対する反発を強めるであろう。

　神風連や佐賀、萩の乱から西南戦争への旧士族の反乱には、裏返され、内向し、行き場を失った維新の「義」があった。自由民権運動にもそのような要素はあり、それが、やがては昭和の時代の青年将校の反乱や日本主義、国粋主義の台頭へと向かう動きの底流を作っている。

「脱亜入欧」の先に見据えていた戦争

　このような日本近代のディレンマについて、福澤は必ずしも注意を払っていない。幕末の尊王攘夷運動に対してきわめて冷ややかであった福澤は、自身は開国派であったにもかかわらず、明治新政府に対してはこれまた冷淡であった。つまり、開国か攘夷かが問題なのではなく、あくまで「独立」が課題だったのである。文明化はその手段であった。

　ところが世界の現状を眺めてみれば、「弱肉強食とは机上の談にあらず。今の世界に行われてまぎれもない事実なり」である。だから「西洋人が東洋国を侵略するは、猟師が獲物の利を求むるに異ならず」（「朝鮮の滅亡はその国の大勢において免るべからず」明治18年）という次第であった。人と人の交際ならば道徳も徳義も重要な意味をもつ。だが、19世紀の国家間には道徳も徳義も通用しない。文明化とは、ここでは主として国権の拡張となるほかない。

そしてそこに、先にも述べた、「日本近代の宿命」というべきひとつめのディレンマが生じる。もともと福澤は、独立派の金玉均や朴泳孝らを支援し、慶應義塾に朝鮮人留学生を受け入れてもいた。

ところが、ソウルの日本公使館襲撃という壬午《じんご》事件（明治15年）や甲申《こうしん》政変（明治17年）における朝鮮独立の失敗を機に朝鮮への態度を改める。朝鮮の独立に絶望した福澤はこの頃から朝鮮や支那への態度を一変し、『脱亜論』（明治18年）が書かれることとなる。アジア東方の悪友との関係を遮断せよ、という。支那と朝鮮に接するには「西洋人がこれに接するの風を従いて処分すべき」というのである。

アジアとの関係の遮断という「脱亜」はすなわち「入欧」を意味していた。福澤からすると、文明国が野蛮・半開諸国を植民地化し指導するのはやむを得ないのである。

そのことは何を意味するのか。すでに『通俗国権論』において、国権の伸張が何をもたらすかを彼は書いていた。「我が国の外国交際法は、最後に訴えるところを戦争と定め……」というのである。といいつつ、そのように覚悟を決めれば実際には戦争にはならない、とも彼は述べる。

結局のところ、「戦いを主張して戦いを好まず、戦いを好まずして戦いを忘れざる」というのが彼の主義であった。戦争とは、この場合、まずは対支那戦争であろうが（日清戦争は明治27～28年）、それはいずれ西洋列強との軋轢となるほかない。

一身に二生を生きた福澤は、少なくとも後半生においては徹底した明治の人であった。日露戦争も第一次世界大戦も知らない。「坂の上の雲」を見上げることができた時代である。日本近代化の頂上はまだ先にあった。

文明化はまだ希望の灯をともしていた。その先にやってくる、アジアと太平洋を舞台とした悲惨な大戦など予想もしていなかった。「戦争」という言葉はどこか抽象的でさしたる深刻さや重さを感じさせない。国権進展以外の何ものでもない。そうであるにもかかわらず、日本の近代が、やがて列強との戦争に立ち至るほかない、というほとんど単純な論理を実は彼は見据えていたことになる。

4　「言語道断の窮状」

そして昭和の大戦争へ

ここで述べてきた「日本近代のディレンマ」は、改めて記せば次のふたつである。

ひとつは、日本の欧化政策による近代化は、それが首尾よくいけば、日本を欧米との深刻な対立へと引きずり込むであろう。これは近代国家としての日本の独立を揺るがしかねない。そして事実、大東亜戦争敗北後の連合国の占領によって日本は事実上の主権を失った。近代化の成功の果てに日本は独立を失ったのだ。これがひとつのディレンマであった。

もうひとつは、日本の欧化政策による近代化は、それが成功すれば、精神としての「日本」を希釈化してゆくであろう。つまり、外面的装備としては西洋と互角に対抗できる独立国家であるとしても、日本人の精神的な内面は西洋に占領され「日本」を喪失してゆくであろう。これがもうひとつのディレンマである。

そしてそのふたつのディレンマがひとつになったとき、隠されていた攘夷が再び一気に表面へ躍《おど》り出る。西洋型の近代化のあげくに、日本主義と排外主義が声高に叫ばれる。西洋の生み出した帝国主義時代、つまり西洋近代の極限で帰結した昭和の大戦争へと日本は追い詰められていった。

日本の掲げた戦争目的は、まずは「自存自衛」、つまり「独立」の確保であった。「独立」を至上目的とした明治維新の尊王（日本主義）と攘夷（自衛）と開国（欧化）がひとつの次元へと帰着したかのようである。

根本へと立ち戻れば、「ウエスタン・インパクト」への対応であった維新には、先にも述べたように、新時代（近代）へ向けた体制の一新（レヴォリューション）の意味と、天皇親政と神聖国家への復古（レストレーション）の意味が重なり合っている。

近代化の背後には、常に「本来の日本」への眼差しが隠されている。この二重性を典型的に示すのが明治天皇であり、それは表から見れば西洋風の立憲君主制でありながら、その背面には、日本の精神的、文化的伝統である神聖性をしっかりと背負っていた。

この二重性は、ひとまずは日本の近代天皇制に内在する矛盾として現れ出ているが、本質的には、「日本の近代」そのものの胚胎する矛盾であり、しかしその矛盾の発端を探れば、「ウエスタン・インパクト」、象徴的にいえば「黒船ショック」にゆきつかざるを得ないのである。その意味で、表層を覆う「西洋型文明国」の体裁と、深層に見え隠れする「日本的精神」の間の矛盾、齟齬《そご》は、およそいかなる歴史的イフを持ち出しても、日本の独立と近代化の必然を想定する限り、やはり「日本近代の宿命」といわざるを得ないであろう。

「和魂」と「洋才」は併存可能か

ところで、一方で「西洋文明」を学び導入しつつ他方では「日本的精神」を保持する、つまり「レヴォリューション」と「レストレーション」の両論併記から始まった日本近代化のディレンマは、しばしば「和魂洋才」の四文字で示される。「レストレーション＝和魂」と「レヴォリューション＝洋才」が貼り合わされる。そしてあくまで根底にあるのは「和魂」であり、表層で作動するのは「洋才」である。こういう含意がここにはある。

この併記には、分離と調整が可能だという楽観論があった。分離されるのは、「心」と「物」、あるいは「こころの理」と「ものの理」であり、「精神」と「技術」であり、シュペングラーの用語を使えば「文化」と「文明」である。先の用語を使えば「義」と「利」といってもよいし、福澤によれば「徳」と「智」としてもよい。もしもこの分離が可能であれば、「和魂」は「和魂」であり「洋才」は「洋才」として併存が可能であろう。

だが、いささか奇妙な構図ではあるが、１９３６年に東北帝国大学へやってきたカール・レーヴィットに強い印象を与えたように、日本の学者は、たとえていえば一階の部屋で着物を着てお茶漬けを食べ、二階へ上がって、西洋の哲学書や英語の本を読んでいるのである。西洋人は、梯子はどこにあるのかといぶかるのだが、日本人は平気で階段を上がり下りして一階と二階を往来する。

求められたのは「魂」の欠落した空虚な「才」

この異常さに日本人は何の疑念も抱かない。レーヴィットがわざわざこんなことを書いているのは、もちろん、この光景が彼には実に奇妙なものと映ったからであった。

言い換えれば、レーヴィットのような西洋哲学者からすれば、西洋の科学にせよ技術にせよ、あくまで西洋の精神文化の産物であり、両者を切断することはできない。「魂」と「才」を分けることなどできるはずもなかった。

西洋文明を生み出したのは、あくまで西洋の歴史伝統、文化伝統であり、その核心には、ギリシャ、ローマであれ、キリスト教であれ、中世であれ、歴史のなかで培われ、作り上げられてきた精神の作用、つまり「魂」があった。

福田恆存は、それを「絶対神」と「人」との関係に見たが、そのようなものは日本にはなかった。だからこそ、日本は、西洋文化の底に横たわる精神を無視して、表層の科学や技術や思想や制度といった文明だけを受け入れるほかなかった、ともいえる。西洋型の個人主義など存在しないところに個人を擬制し、自由主義のないところに自由を擬制し、議会主義や政党政治のないところにそれらを擬装するほかなかった。

森鷗外の言い方を借りれば、日本の近代とは、近代である「かのような」近代であった。これは確かに、善かれ悪しかれ「日本近代の宿命」である。

そのさい、この擬装を行うのはあくまで「才」である。「魂」は不要である。「魂なき才」が求められる。「魂」の抜き取られた「才」とは、ただただ器用な物まね、翻訳・模倣の才である。これが最大限に発揮されるのは、産業技術やそのもととなる科学や工学であろう。だからこそ、日本はたちまち殖産興業や富国強兵の成果を発揮し、西洋の学術も貪欲に導入し、一等国へと這《は》い上がった。

しかし、この発展は、「魂」の欠落した空虚なものであるほかない。いや、器用な物まねとは、模倣をよしとする精神であろうが、そんなものは「和魂」というようなものではなかった。そして福澤よりも30歳ほど年下の夏目漱石にとっては、この「魂」の欠落した文明化は、実に不愉快きわまりないものであった。器用な模倣の才による文明化など、ただただ文明の上《うわ》っ面《つら》をつるつる滑っているだけに思われた。

ではどうするのか。漱石が講演『現代日本の開化』（明治44年）のなかで述べた「外発的開化」と「内発的開化」の区別はよく知られているが、この区別が解決になりえないことは、もちろん漱石自身よくわかっていた。

西洋模倣型の「外発的開化」はただただ文明の表皮を滑ってゆき、西洋発の新たな文物の導入に忙しい。西洋が１００年かかって達成した文明化を、日本はひたすら西洋の模倣的導入によって40年余りで達成しようとする。

夏目漱石のペシミズム

このたえざる変化と多忙を強いる無謀な試みのなかにあって、模倣文明の皮相を滑るまいとし、「魂」を失うまいとすれば、ただただ空虚感や不安に苛まれるほかない。そこで己の力と確信によって少しずつ日本の文明を高度なレベルへと持ち上げるという「内発的開化」を目指すとしても、この途方もないほぼ不可能な試みは、まともな人間の神経を衰弱させるほかあるまい。端的にいえば、日本の近代化は「まことに言語道断の窮状に陥ったもの」だというほかない、というのが漱石のペシミズムであった。

結局、漱石は、あたかも福澤の「一身独立」をなぞるかのように「自己本位」を説くが、30年の時の隔りはいかんともしがたい。近代的理性も宗教的信仰ももたない「自己本位」がほとんど何の救済にもならないのは当然であっただろう。

「和魂洋才」のごとく、「和魂」と「洋才」を並列できればよいが、それは無理な相談である。「魂」と「才」を簡単に分けることはできない。「心」と「物」を、「心理」と「物理」を分けることはできない。「精神」と「技術」をきれいに分けることはできない。このとき、「和魂」と「洋才」が幾分なりとも対立をはらむならば、「和魂」は「洋才」に対して挑戦をいどむほかなかろう。

日本の歴史はいくつかの局面においてその事例を示している。

男社会・支配社会の「漢字」に対する女性の「ひらがな」、紀貫之における「真名」に対する「仮名」、清少納言に対する紫式部、そして少し時代が下って、「からごころ」を排する本居宣長の「やまとだましい」などがたちどころに思い浮かぶ。宣長による「国学」は、「和魂」と「漢才」がうまく併存などしえないという現実が生み出した「日本」をめぐる文化戦争であった。

5 偉大なものの敗北

文化戦争の端緒を『万葉集』に見た保田與重郎

この「才」に対する「魂」の戦争、「文明」に対する「文化」の戦い、こうした文化戦争の端緒を『万葉集』に見たのが、漱石などよりもさらに40年余り後の保田與重郎《よじゅうろう》であった。

権力志向の策略家であり、いわば当時の文明開化派というべき藤原氏に対する、天皇を中心とした日本古来の「臣」の精神を守ろうとする大伴家持の戦いが『万葉集』の底を流れているという保田にとっては、『万葉集』の中心的な主題、あるいは軸になる気分は、「義をもった敗北」であり「没落」であった（『万葉集の精神』昭和17年）。

それを保田は、いかにも浪漫派的に「偉大なものの敗北」という。現実的知力に優れ、官僚政治によって権力的秩序を創出・維持しようとする藤原氏の前に、天皇の信任あつい、いわば近衛兵のような「臣」である大伴氏は敗北し、没落するほかない。藤原氏の「利」に大伴氏の「義」は敗北する。「才」の前に「魂」は敗れる。「文明」の前に「文化」は敗走する。

しかもそれは、これ以前にすでに先例をもっていた。中大兄皇子と中臣鎌足とともに乙巳《いつし》の変を成功させた蘇我石川麻呂が、その後、同志であったはずの鎌足と中大兄皇子の策謀によって自害に追い込まれる、という事跡がそれであった。

ここでも、古来の祭政一致政治を求める復古派の石川麻呂は、「儒教的」な改革・革新による合理的秩序を目指す進歩的改革派の策謀の前に滅ぼされる（保田「にいなめとしごい」）。「義」が「利」によって打ち負かされる。この歴史的必然ともいいたくなるような構造が、再び日本の近代において再現されたのである。

「日本人の生命の道」としての尊王攘夷

ここでは保田の歴史解釈の妥当性は別としよう。また、時局の切迫とともに時折現れる、ほとんど大言壮語の扇動かもしくは手前勝手な自己陶酔かといいたくなるような評論文について云々することもしない。保田の評価を下すことがここでの目的ではない。

実際、戦前と戦後でまったく評価の反転してしまった保田の思想をどのように理解するかは今でも難しい。あの独特の文体、英雄と詩人の賛美、革命への浪漫的な憧憬、偉大なる悲劇への感情移入、偉大な精神の没落への愛惜といった日本浪漫派的な思想とその独特な表現に対する好悪は人によって分かれよう。

しかし、戦後に政治学者の橋川文三が述べたように、マルクス主義の退潮後に保田が特に当時の若者たちに与えた影響は尋常ならざるものがあり、その事実は決して忘れ去られてはならない。あの戦争前夜に保田がはなった思想には、何か人々の深い琴線《きんせん》に触れるものがあったからだ。そしてそれこそが、ここでいう「近代日本のディレンマ」にほかならない。このディレンマを与えるもの、それを保田は「文明開化の論理」と「明治の精神」と呼んで、両者を断固区別しようとした。

「明治の精神」とは、端的にいえば尊王攘夷である。それは、まずは勤王の精神であり、その上で天皇を脅かす者を打ち払うという精神である。これが尊王攘夷であり、したがって、攘夷の対象は、ただ外敵というだけではなく、場合によれば徳川幕府にも向けられる。

いや、勤王を忘れ、自己保存と官僚的、儒教的体制を作り出した「幕府的なもの」こそが真に攘夷の対象なのである。王政復古（レストレーション）とはこの意味での勤王と攘夷にほかならなかった。

言い換えれば、「一君万民」の思想のもと万民がひとしく天皇の臣下になることが「王政復古」であった。巨大な官僚的体制と儒教的身分秩序をもつ徳川の政治は正統性をもたないのである。

ところが、明治天皇による王政復古の大号令とともに、復古を完成したものとみなし、その後は、ひたすら文明化に邁進する。西洋の壮大な文明に目のくらんだ明治の指導者は、日本を西洋並みの一等国にしようとする。これは「文明開化の論理」であって、もはや「王政復古（レストレーション）」から始まった「明治の精神」とはまったく異なったものというほかない。尊王攘夷とは国家の制度や方針を意味するのではなく、日本の文化の、精神の基底を流れている「生き方」の問題であった。それは「日本人の生命の道」だと保田はいう。

道義ある者が常に敗れるという悲劇

大事なのは尊王攘夷というスローガンでもなく、それを実現する制度でもない。それに象徴されるような精神のあり方、生き方であった。だが、この「日本人の生命の道」を取り戻そうとした「明治の精神」はすっかり「文明開化の論理」のなかに溶解してゆく。

とはいえ、福澤が見たように、日本の独立を保つためには西洋文明の導入は不可欠であり、その結果としての文明開化も不可避であった。言い換えれば、「義」であるはずの「明治の精神」は、「利」である「文明開化の論理」を前に敗北するのである。

これはほとんど当然の流れであった。明治の風潮が文明開化に支配されるとき、政治的にも文化的にも明治の指導者たちは、中央にあっていわば官僚的な文明開化を主導する。これに対して「明治の精神」をそれでも保持しようとするものは、反文明開化の心理を抱きつつ、官僚的中央からはみ出して地方の浪人となる。

　こうなると、保田が、「文明開化の論理」を前にする「明治の精神」の敗北を、『万葉集の精神』における藤原氏を前にした大伴氏の敗北に、さらには、中大兄皇子と中臣鎌足に対する石川麻呂の敗北に重ね合わせていたことは間違いない。そしてそれが意味するのは、道義ある者が、利をめぐる現実の権力的状況のなかで敗北するという悲劇の感情が、日本人の精神の深い場所に宿っている、ということであろう。いってみれば、策略にたけた知力の持ち主が、至誠の心情をもったものを蹂躙してゆくのである。

　どちらが正しいとか間違っているとかいうものではない。

　道義は、常に「日本のアイデンティティ」を求めて歴史的なものの復古へ顔を向ける。「日本のアイデンティティ」などという確定したものはどこにも存在しないとしても、そういう問いかけを発するほかない。いや、むしろ「敗者の道義」というものが、どこか敗者のルサンチマンを伴っているのかもしれない。それが、己の存在理由を「日本のアイデンティティ」に求めるともいえよう。

これに対して、「利」は、常にその都度その都度の現実においてより強いものへとなびく。それは「アイデンティティ」など問題にしない、現実の合理に従うだけである。これは仕方のないことであろう。歴史のなかでは常にこの二重性が立ち現れてくる。

グローバル世界で再演される「日本近代のディレンマ」

だがひとつ、ここに日本独特の事情があるとすれば、この根本的な理由は、日本という、大きな疑似普遍文明の辺境にあって、常に独自の文化を形成してきた小さな島国が、この巨大な疑似普遍文明に対して応接しなければならない、という苦い事情にこそ求められるべきであろう。

前近代においては、大陸の中華文明との関係において、その影響を取り入れつつ独自の文化を生み出し、戦国時代以降は、キリシタンの西洋文明の脅威を感じつつ、最終的には鎖国によって「日本の独立」を守ろうとした江戸時代をへて、明治以降の「近代」もまた、この歴史的経験の再現だともいえるであろう。

外国の先進文明に対して自己を防衛しようとする日本という構図は、どうしても、ある種のコンプレックスやルサンチマンに似た心理を呼びさます。それはまた、外国の文物を我が物のように崇拝導入し、それを国内において自己の権威の旗印にする進歩派エリートに対する反感をも生み出す。

「日本的なもの」の敗北は、やむを得ない必然であると同時に、また、容易には受け入れがたいものであった。ここに「日本の愛国心」の独特の事情がある。「日本を守る」ということがふたつに分裂するのである。外来先進文明を取り入れて富国強国を作り出すという進歩的合理的な愛国とそれによって滅ぼされてゆく「本来の日本」への愛惜である。後者は前者の前に敗北する。しかし敗者には敗者の義がある。

それを保田のように「偉大なものの敗北」と述べて、いかにも浪漫主義的な英雄的悲劇に仕立てあげるのが適切かどうかは別であろう。しかし、橋川が告白しているように、大東亜戦争の悲惨を歴史的悲劇として捉えるこの保田節が、若者たちの、少なくとも情緒を強く刺激したことは疑いえない。

「日本近代のディレンマ」のゆきついたひとつの帰着点をわれわれはここに見るのである。そして、これは、あの昭和の大戦に敗北しておしまいになった事柄ではない。

戦後から今日に至る70年から80年の歴史は、グローバル世界といういっそう広大な舞台において、依然として「日本近代のディレンマ」を再演しているのではないだろうか。

あとがき

今日、私たちを取り巻く世界は急激に変化しつつある。政治状況も経済状況も決して単純なものではない。おまけに、突然の疫病のおかげで、思いもよらない日々を強いられてきた。

今から35年ほど前、時代が昭和から平成に移り変わる頃であれば、「私たちは今日、かつてなく豊かな社会に生きている。少なくとも、物質的な豊かさという意味では」と何の躊躇もなく書けたであろう。

だが、私たちの社会はこの三十数年の間に、あまりにも多くの災厄と落胆に見舞われてきた。いくつかの巨大地震があり、オウム真理教の狂気とであい、少年によるおぞましい事件と遭遇した。アメリカのテロがあり、リーマン・ショックがあり、平成の長い長い経済停滞に見舞われた。多くの苦い経験が、さしたる教訓も残さずに、指間からこぼれ落ちる砂のように、時間とともに過ぎ去っていった。

80年代には『ジャパン・アズ・ナンバーワン』などとおだてられて有頂天になっていた頃が一時の夢のように思いだされる。

70年代に話題をさらって、その後は記憶の底に忘却していたはずの『スモール イズ ビューティフル』や『不確実性の時代』といった書物が再び世のこころある人々に注目され始めた。決して懐古趣味ではない。古典的な一般向けの経済書に私たちの資本主義認識が「追いついた」かっこうなのである。

一時はまったく不名誉な扱いを受けていたケインズがこの世に戻ったなら、何といったであろうか。「資本主義は大きな成功を収めるがゆえに、行き詰まる」と予言したシュンペーターは墓のなかでどう思うであろうか。おまけにマルクスの亡霊さえ召喚され、結構、大きな顔をして書店のなかを占拠している。こちらの黄泉《よみ》がえりはほぼ50年ぶりである。つい苦笑したくなるであろう。

確かに時代は大きく転回した。だが、苦笑いでは済まない現実がある。アメリカが牽引してきた「グローバル経済」の終焉は、世界を精神的荒廃と倫理的堕落の淵にたたせている。トランプのような人物がアメリカ大統領となり、中国には習近平が、ロシアにはプーチンが「皇帝」然として王笏をふるっている。この（２０２２年）２月にはプーチンがウクライナに戦争をしかけるという狂気のごとき暴挙にでた。

ひとつひとつの事象はそれぞれの原因をもった現象ではあるものの、今日生じる様々な出来事をひとつの背景のもとにおいて眺めれば、政治と経済がからまりもつれながら現出させている同根の問題が見えてくる。世界史の教科書に記述されていた「ペストの大流行が中世を終わらせた」も「ヒトラーが、独ソ不可侵条約を破り、ポーランド侵攻を行い第二次世界大戦の戦端が開かれた」という記述も、二度と再び見るはずのない悪夢と信じられていた頃がなつかしくなるほどだ。かつては人も神も牧歌的な世界の住人であった。

　われわれが、今生きている世界は、もはやそれほど安閑な場所ではない。ある種の絶望感に苛まれることすらある悪い夢のような世界であろう。ついに超克されることなく妄信されてきた「西欧近代思想」が、なし崩しの禍々しい死を迎えそうな気配さえも漂う。と、まずは悲観的なヴィジョンの極限に身を置きたい。現代文明の隘路から脱出する都合のよい正解などない、と覚悟を決めるほかない。そしてその上で、私たちを未来へとつなげてくれる価値を手探りで見つけるほかあるまい。

　本書は、２０１８年の秋から２０２２年の３月にかけて、私が書き記してきた「社会時評」と「文明論」をまとめたものである。朝日新聞の「異論のススメ スペシャル」と題する連載コラムを中心に、雑誌『文藝春秋』（２０２２年１月号）に掲載された論考と、思想雑誌『ひらく』所収の論文２本を合わせて収録している。政治的には安倍氏から菅氏そして岸田氏へと政権が移り変わる時期であり、経済的にはグローバリズムの矛盾が噴出する時期であり、そして何よりも新型コロナに翻弄された時代である。病める時代には戦役も疫病も同居するものである。きれいごとが跋扈する「ポリティカル・コレクトネス」や、作り笑顔で未来の技術に希望を託するような時代精神に見合った、しかしその正義や笑顔とは正反対の歪んだ現身《うつしみ》が現れ出てくる。

これが、現代文明の実際なのであろう。

私にできることは、せいぜい目を逸らさず、ひたすら凝視することでしかない。よき傍観者であるほかない。だがそれこそが、今日、社会や思想に関わる者に課せられた態度なのである。

初出から本書の成立にまで関わりのあるすべての編集者に感謝しつつ、いっこうに収まる気配の見えない疫病と戦禍の続く２０２２年４月19日の夜に記す。

佐伯啓思

初出

序章～第３章
「異論のススメ　スペシャル」『朝日新聞』
（２０１８年９月７日～２０２２年３月26日　不定期連載）

第４章
『文藝春秋』（２０２２年１月号）

第５章・第６章
『ひらく』５号（２０２１年６月15日発行）
『ひらく』６号（２０２１年12月22日発行）

著者略歴

佐伯啓思《さえきけいし》

思想家。一九四九年奈良県生まれ。

東京大学経済学部卒業。同大学院経済学研究科博士課程単位取得。

滋賀大学教授、京都大学大学院教授などを歴任し、
現在は京都大学名誉教授、京都大学人と社会の未来研究院特任教授。

『隠された思考』（筑摩書房、サントリー学芸賞受賞）、

『「アメリカニズム」の終焉』（TBSブリタニカ、NIRA政策研究・東畑記念賞受賞）、

『現代日本のリベラリズム』（講談社、読売論壇賞受賞）、

『自由と民主主義をもうやめる』（幻冬舎新書）、『死にかた論』（新潮選書）、

『近代の虚妄　現代文明論序説』（東洋経済新報社）など著書多数。

言論誌『ひらく』（A&F）の監修も務める。

幻冬舎新書 654

さらば、欲望
資本主義の隘路《あいろ》をどう脱出するか

二〇二二年五月二十五日　第一刷発行
二〇二二年六月　十　日　第二刷発行

著者　佐伯啓思
発行人　志儀保博
編集人　小木田順子
発行所　株式会社　幻冬舎
〒一五一-〇〇五一　東京都渋谷区千駄ヶ谷四-九-七
電話　〇三-五四一一-六二一一(編集)
　　　〇三-五四一一-六二二二(営業)
公式HP https://www.gentosha.co.jp/
ブックデザイン　鈴木成一デザイン室
印刷・製本所　株式会社　光邦

Printed in Japan　ISBN978-4-344-98656-5 C0295
さ-6-2

*この本に関するご意見・ご感想は、左記アンケートフォームからお寄せください。
https://www.gentosha.co.jp/e/

幻冬舎新書

丸山俊一＋NHK「欲望の民主主義」制作班

欲望の民主主義

分断を越える哲学

世界中で民主主義が劣化している。今、世界の知性たちは何を考えるのか――？　若き天才哲学者、マルクス・ガブリエルら六人が考察する政治変動の深層。世界の現実を知る必読書。

國分功一郎　千葉雅也

言語が消滅する前に

いま〈言語を使う存在〉という人間の定義は有効性を失い、我々は「人間らしさ」を喪失しつつある――言葉の弱体化、情動・ポピュリズム・エビデンス中心主義の台頭等、気鋭の哲学者が現代の危機の核心に迫る。

古谷経衡

敗軍の名将

インパール・沖縄・特攻

インパール作戦の佐藤幸徳・宮崎繁三郎。沖縄戦の八原博通。芙蓉部隊の美濃部正。戦争という狂気の時代に、暗愚な上官・中央の命令に抵抗して信念を貫いた4人の指揮官の決断と行動に学ぶ。

古野まほろ

事件でなければ動けません

困った警察官のトリセツ

警察はなぜすぐ助けてくれないのか？　元警察官が、被害者の訴えを無視し続けて悲劇を招いた桶川事件や最近の太宰府事件を検証しながら、その実情を分析。自分を守るための方法をレクチャーする。